D1203068

L'ÉQUILIBRE *en cuisine*

JEAN SOULARD

L'ÉQUILIBRE *en cuisine*

COMMUNIPLEX

Concept et réalisation :
Communiplex Marketing inc.

Coordination du contenu : Diane Couturier
Services Conseils inc.

Textes et recettes :
Jean Soulard

Révision des textes et correction d'épreuves :
Communiplex Marketing inc.

Conception graphique et mise en pages :
Adigraph

Photographie :
Tango

Styliste culinaire :
Jacques Faucher

Styliste-accessoiriste :
Luce Meunier

Impression :
Globalink Production Solutions Ltd,
Hong Kong
Imprimé en Chine

L'éditeur remercie HWI Anglo Canadian Housewares L.P. et Staub, ainsi que Stokes et Trois Femmes & un coussin de lui avoir gracieusement fourni la vaisselle utilisée pour la prise des photos.

L'éditeur remercie également La Boucherie-Charcuterie de Tours du Marché Atwater de lui avoir gracieusement fourni les viandes et volailles utilisées dans la préparation des recettes.

Dépôt légal, quatrième trimestre 2006

Bibliothèque nationale du Québec

Bibliothèque nationale du Canada

ISBN : 2-9807266-7-2

Édité par Communiplex Marketing inc.
210 rue Roland-Jeanneau
Verdun, Québec, Canada H3E 1R5
Courriel : info@communiplex.ca
Téléphone : 514-769-3533
Télécopieur : 514-766-0877

Remerciements

Je voudrais remercier les personnes qui m'ont aidé, de près ou de loin, à réaliser ce livre :

Fabiola Masri pour le texte « L'équilibre »

La direction du Fairmont Le Château Frontenac et son directeur général Mr Kassatly

Lucie Paquet pour avoir pris en charge le manuscrit

L'équipe de production de l'ouvrage, pour sa complicité et la belle synergie qui s'est exprimée à toutes les étapes de réalisation de ce livre.

À Catherine ainsi qu'à mon père et ma mère

Se remettre toujours en question, refuser ce qui est établi, figé.
Recommencer, explorer, mais toujours avec le même objectif :
santé et équilibre.

AVANT-PROPOS

Il y a quinze ans, je sortais mon premier livre de cuisine qui s'intitulait « La santé dans les grands plats ». La mise en œuvre de ce livre était motivée par une raison bien personnelle. Mon père avait le cancer et, à la suite d'un téléphone de ma mère qui me disait : « ton père n'est pas bien et il a du poids à perdre ; comment vais-je faire ? », je décidai d'entreprendre la rédaction du livre. C'était ma manière d'aider mon père.

Mon père a guéri. Évidemment pas à cause du livre. Je me demande encore si cet ouvrage a été pour lui d'une quelconque utilité, mais c'est sans importance. Mon père a eu, dernièrement, 80 ans et a fêté 55 ans de mariage. Et, incidemment, il a repris « son poids ». Je vois, dans les yeux de ma mère qu'un homme en santé en est un d'une certaine corpulence. Je crois que cela résume bien cette génération.

Dans ce premier livre, j'écrivais entre autres ceci :

> « Tout est question d'équilibre. La société va beaucoup trop vite et les besoins alimentaires ont changé. Il est important de manger davantage de fibres, de fruits et de légumes frais ; de réduire les gras, les crèmes, les sucres, et d'apprivoiser les jus de légumes dans les jus de viande, le fromage blanc maigre dans les sauces. Il est essentiel de prendre le temps de bien manger, de bien cuisiner, pour garder ou retrouver l'équilibre. »

Si, à cette époque, mon geste « santé » était noble, il n'était néanmoins pas ancré en moi. De formation classique, d'un héritage culinaire transmit à travers des traditions utilisant le beurre, la crème 35 %, le sucre, les liants ; il m'avait fallu un certain effort pour transformer mes recettes d'alors.

Ce livre avait connu du succès, surtout auprès des diététistes, chefs de cuisine d'hôpitaux et de maisons de retraite. Mais bien honnêtement et avec le recul, je me demande comment j'ai fait. À cette époque, mes amis vous auraient dit que je n'étais pas très fort sur la consommation de fruits et de légumes. Et, si je croyais aux bienfaits de la bonne nutrition et de l'équilibre, j'étais loin de l'appliquer dans mes habitudes alimentaires.

Quinze ans plus tard, j'ai fait ce cheminement. Bien sûr, j'utilise encore du beurre et de la crème, mais avec parcimonie. Et j'ai compris le sens du mot « équilibre ». Je le vis maintenant au quotidien.

Dans le présent ouvrage, j'ai amené mes recettes beaucoup plus loin. Pour certaines, je me suis laissé guider par l'harmonie du goût jusqu'à me permettre des alliances à première vue paradoxales, et ce, afin de dépasser les associations d'arômes et de parfums éprouvées. Pour d'autres qui étaient des valeurs sûres, elles méritaient d'être revues, rajeunies.

Se remettre toujours en question, refuser ce qui est établi, figé. Recommencer, explorer, mais toujours avec le même objectif : santé et équilibre.

Je suis sensible à l'air du temps, mais je me suis toujours méfié des modes.

Je suis sensible à la poésie et, plus encore, j'aime la poésie des saveurs contradictoires.

Je suis sensible au plaisir, car le meilleur pot-au-feu mangé dans un climat tendu n'a plus aucune saveur. Tristesse assurée.

Que sera la cuisine de demain ? L'obésité que le monde occidental est en train de connaître fait et fera de la cuisine un des principaux leviers d'une prise de conscience commune.

Mon métier repose sur la gourmandise et, pour moi, sur les souvenirs gourmands de ma jeunesse. Par contre, je suis maintenant convaincu que la santé à travers la nourriture est un objectif souhaitable qui peut se réaliser sans compromis de saveurs.

Plaisir, goût, originalité, santé, équilibre, amour et parfois humour ; voilà ce que j'ai voulu faire.

Jean Soulard

Aujourd'hui, manger santé
c'est manger des aliments frais,
colorés, savoureux. Des aliments
qui font chaud au cœur, des
aliments de plaisir, de souvenirs,
d'arôme et de fantaisie.

L'ÉQUILIBRE

C'est depuis des siècles que l'humain reconnaît l'influence de l'alimentation sur la santé sans toutefois savoir son mécanisme d'action. On peut citer Hippocrate en l'an 400 avant J.C. nous conseillant : *Que votre alimentation soit votre médecine et que la médecine vous alimente...* Aujourd'hui grâce aux recherches scientifiques, nous savons de plus en plus en quoi un aliment peut être utile, quelle est la molécule bénéfique qu'il contient et comment il faut le consommer pour maximiser son mode d'action.

La diététique ou l'art de bien s'alimenter est en évolution constante, mais la base demeure toujours la même ; manger de tout avec modération... En effet, nous savons aujourd'hui que chaque aliment a des propriétés intéressantes pour la santé. Parfois, ces propriétés peuvent se retrouver dans un autre aliment mais parfois elles lui sont exclusives. Avec l'état des connaissances scientifiques que nous avons à ce jour, il s'avère impossible de dire qu'un tel aliment, à son état naturel, donc sans transformation, est banal ou sans utilité pour notre organisme. Pour cela le meilleur conseil que l'on peut donner aujourd'hui en matière d'alimentation saine c'est de manger tous les jours une grande variété d'aliments. Et pour simplifier et bien visualiser le concept de variété nous pouvons nous fier sur la couleur d'un aliment. Une variété d'aliments peut être aussi une variété de couleurs. Par exemple la couleur orangée indique que l'aliment est riche en caroténoïdes, des nutriments antioxydants qui activent les enzymes anticancer, les couleurs rouge et mauve indiquent la présence de flavonoïdes qui, en plus de leurs propriétés antioxydantes, préviennent la coagulation sanguine, donc bénéfiques pour la prévention des maladies cardiovasculaires, et ainsi de suite.

Je vous livre cette pensée afin de vous présenter avec grand plaisir ce livre de mon grand ami Jean Soulard. Un livre rempli de couleur, de saveur et de bon sens ! Il est révolu le temps où alimentation santé rimait avec privation. Aujourd'hui, manger santé c'est manger des aliments frais, colorés, savoureux. Des aliments qui font chaud au cœur, des aliments de plaisir, de souvenirs, d'arôme et de fantaisie. Voilà ce que Jean a à vous offrir dans ce livre.

Dégustez donc ces recettes et rappelez-vous de ne jamais vous permettre de vous sentir coupable après avoir mangé un plat que vous avez trouvé savoureux, qui vous a fait plaisir et qui vous a réchauffé le cœur !!!

Fabiola Masri, nutritionniste

Acheter des produits frais

Tous les produits doivent toujours être de première qualité. On ne peut faire de bonne cuisine avec des produits de second choix.

En faisant votre marché, vérifiez la fraîcheur du poisson, la couleur de la salade, la coupe de la pièce de viande. Apprenez à respecter la nature des produits.

Puis, un aliment frais est plus riche en éléments nutritifs.

Lisez les étiquettes et les dates de péremption.

Évitez de trop longs entreposages de produits frais dans le réfrigérateur.

Les huiles

La plupart des huiles utilisées en cuisine sont d'origine végétale. Elles peuvent être extraites de graines (tournesol, arachide, soja, sésame, etc.) ou de fruits (olive, noix). L'avantage nutritionnel incontesté de ces huiles est qu'elles contiennent des gras moins saturés que les matières grasses d'origine animale. On qualifie ce type de gras de « mono » ou « polyinsaturés ». Ces gras jouent un rôle important dans la prévention et le traitement des maladies cardio-vasculaires. S'ils sont consommés en quantité modérée, ils peuvent contribuer à diminuer le taux de cholestérol dans le sang.

On qualifie souvent de « pures » les huiles provenant d'une seule espèce, par opposition aux huiles dites « végétales », qui sont des mélanges pouvant contenir des huiles saturées. La plupart des huiles vendues dans le commerce sont raffinées, ce qui peut nuire à leur saveur et à leur odeur originales. On trouve aussi des huiles non raffinées obtenues par simple pression à froid; qualifiées de « vierges » ou « naturelles », elles ont un goût moins altéré. C'est le cas, notamment, de l'huile d'olive.

En résumé, dans ce livre, j'utilise le plus souvent de l'huile d'olive. D'abord, pour le goût mais aussi parce qu'elle a l'avantage d'être plus stable à la chaleur. L'huile d'arachide a aussi cette propriété ; pour des raisons d'allergie, toutefois, je ne l'utilise pas ici.

Je conserve « les grandes huiles d'olive » pour les vinaigrettes, émulsions ou pour la majorité des préparations froides.

Les herbes et les épices

Ingrédients de soutien et d'accompagnement, les herbes et les épices feront la différence pour parfumer les plats et rehausser les saveurs.

Nous n'avons plus de raison de ne pas avoir chez soi des herbes fraîches, été comme hiver. Elles peuvent pousser durant la belle saison sur votre balcon, dans votre jardin ou sur votre toit. Et, pendant la saison froide, elles seront disponibles à votre marché, à côté de chez vous.

Les épices vendues entières, en graines ou en poudre devront être gardées au sec, dans un bocal hermétique pour ainsi conserver tous leurs arômes. Achetez-les en petites quantités, pour qu'elles vous donnent toutes leurs subtilités. Et, lors d'un voyage exotique, peut-être aurez-vous l'occasion d'en acheter des fraîches ? Ainsi, à votre retour, vous pourriez recréer de nouveau les goûts du Maghreb, des Caraïbes ou de la Thaïlande...

Les herbes et les épices peuvent vous permettre d'utiliser moins de sel, de sucre et de matières grasses. Elles ont aussi l'avantage d'être sans apport calorique.

Je les ai beaucoup utilisées dans les différentes recettes de ce livre. Souvent, dans des situations peu communes, je vous encourage à laisser aller votre imagination et à créer vos propres bouquets de saveur.

Les cuissons pour la cuisine-santé

À LA POÊLE

Habituellement, la nourriture est sautée avec un minimum de matière grasse. Je suggère d'utiliser une poêle anti-adhésive qui permet même de se passer de gras.

Pour des aliments comme la viande, la poêle doit être portée à haute température. Pour d'autres comme les oignons ou les légumes, une plus basse température est recommandée. Dans les deux cas, remuer continuellement la poêle pour mélanger les aliments ou utiliser une cuillère.

De préférence, munissez-vous d'une poêle de très bonne qualité. Avec une poêle de qualité inférieure, les aliments risquent de coller. Utilisez aussi des cuillères de bois ou de plastique pour ne pas abîmer l'enduit antiadhésif de la poêle.

EN GRILLADE

La grillade est une autre méthode de cuisson-santé. Généralement, les nouveaux modèles de cuisinière sont munis de gril.

On doit utiliser une haute température au début de la cuisson et diminuer par la suite.

La grillade est très rapide et permet d'éliminer une partie de la graisse contenue dans les aliments. Pour les cuire, il n'est pas nécessaire d'ajouter de la matière grasse, ou alors très peu.

Utilisez une température plus élevée pour les pièces plus petites et moins épaisses, et une température moins élevée pour les plus grosses.

On peut griller pratiquement tous les aliments : poissons, steaks, côtelettes, volailles, et même les légumes, en brochette par exemple.

Il est préférable de préchauffer votre gril et d'utiliser des pinces ou des spatules pour retourner les aliments grillés.

À LA VAPEUR

C'est une autre bonne méthode de cuisson pour la cuisine-santé. Grâce à un ustensile connu sous le nom de « marguerite », la cuisson à la vapeur est à la fois simple et rapide. Respectueuse des aliments, elle aide à conserver leurs sels minéraux, leurs vitamines et leur saveur naturelle.

La cuisson à la vapeur utilise, comme son nom l'indique, la vapeur d'eau bouillante, de fond ou de court-bouillon. La vapeur cuit l'aliment qui repose sur la marguerite. Il est important d'isoler de l'eau l'aliment à cuire.

On peut cuire à la vapeur, poissons, crustacés, légumes de toutes sortes ainsi que volailles, viandes, pommes de terre et riz.

À LA SALAMANDRE (SOUS LE GRIL OU « BROIL »)

Cette méthode est le plus souvent utilisée pour les gratins — soupes au gratin, certains plats de pâtes, sauces — et demande un minimum de matière grasse. On parsème généralement le plat de fromage ou de mie de pain avant de le passer sous la salamandre.

J'ai utilisé cette cuisson dans certaines recettes comme les escalopes de poisson ou les abats de volaille qui doivent cuire rapidement. Ceci me permet d'utiliser très peu de matière grasse ; le plat est, de ce fait, meilleur.

EN PAPILLOTE

La cuisson en papillote est une cuisson à l'étouffée. Pour la réaliser, on enferme hermétiquement l'aliment dans une feuille de papier sulfurisé ou d'aluminium, que l'on replie sur l'aliment en pinçant les bords pour qu'il n'y ait pas de perte de vapeur.

Originale, cette cuisson a la particularité de concentrer les parfums à l'intérieur et de ne pas exiger de matières grasses. Cette méthode est aussi une surprise pour l'invité qui a le plaisir de découvrir à la dernière minute le contenu de sa papillote.

Cuisson des légumes verts

Tous les légumes verts contiennent des acides organiques qui, au contact de la chaleur, modifient la couleur vert tendre de la chlorophylle, qui devient grisâtre.

Ces acides sont volatils et il faut les laisser s'échapper rapidement avant qu'ils n'altèrent les légumes.

Sachant cela, procédez comme suit : lavez rapidement les légumes pour éviter qu'ils ne perdent leurs sels minéraux. Faites bouillir de l'eau (trois parts d'eau pour une part de légumes) dans un grand récipient, de préférence en acier inoxydable. Puis, salez à 10 g (2 c. à thé) par litre (4 tasses).

Lorsque l'eau bout, jetez-y les légumes verts qui doivent cuire à gros bouillons et à découvert.

Les légumes ne doivent pas être trop cuits s; vous devez sentir une légère résistance sous la dent quand vous les croquez.

La cuisson terminée, retirez-les rapidement de l'eau à l'aide d'une écumoire et plongez-les dans un récipient d'eau froide pour arrêter la cuisson. Égouttez.

FOND DE VEAU

1 kg (2 1/4 lb) d'os de veau concassés et de parures

180 g (3/4 de tasse) de carottes, oignons, branches de céleri coupés en morceaux (mirepoix)

140 g (1/2 tasse) de tomates fraiches, coupées en dés

15 ml (1 c. à soupe) de concentré de tomates

1 gousse d'ail, écrasée

1 petit bouquet garni

2 litres (8 tasses) d'eau

sel et poivre du moulin

Placer les os et les parures sans matière grasse sur une plaque allant au four et les faire brunir à 200° C (400° F). Ajouter les carottes, les oignons, les branches de céleri et les tomates. Rôtir 4 à 5 minutes de plus. Retirer du four et transférer dans une casserole. Éviter de prendre la graisse qui a pu se déposer dans le fond de la plaque. Ajouter le concentré de tomates, l'ail et le bouquet garni. Recouvrir d'eau et assaisonner.

Cuire doucement à découvert pendant 2 heures. Écumer et dégraisser de temps en temps. Couler ensuite le fond, environ 1 litre, dans une passoire ou à travers un linge fin.

Conseils:

La meilleure façon de dégraisser les fonds est de les mettre dans un récipient au réfrigérateur. Les graisses se solidifieront à la surface et il sera alors plus facile de les retirer.

La moitié de l'eau de mouillement peut être remplacée par du vin rouge.

BOUQUET GARNI

1 vert de poireau

1 brin de thym

1 feuille de laurier

1 branche de céleri

1 branche de persil

Réunir tous les ingrédients lavés. Les attacher solidement avec une ficelle de cuisine.

JUS D'AGNEAU

pour 1 litre (4 tasses) de jus d'agneau

1 kg (2 1/4 lb) d'os d'agneau

1 oignon

1 carotte

1 petit bouquet garni

2 litres (8 tasses) d'eau

sel et poivre du moulin

Mettre les os d'agneau concassés dans une casserole et les faire revenir légèrement. Ajouter l'oignon et la carotte coupés en morceaux ainsi que le bouquet garni. Recouvrir d'eau et assaisonner.

Cuire doucement à découvert pendant 1 heure en prenant soin d'écumer et de retirer le gras. Couler dans une passoire ou à travers un linge fin et conserver au frais.

Conseils:

On peut utiliser des parures d'agneau en même temps que les os.

La moitié de l'eau de mouillement peut être remplacée par du vin rouge.

FOND DE VOLAILLE

pour 1 litre (4 tasses) de fond

1 kg (2 1/4 lb) de carcasses de volaille ou une volaille à bouillir

1 oignon

1 carotte

1 branche de céleri

1 petit bouquet garni

2 litres (8 tasses) d'eau

sel et poivre du moulin

Mettre les carcasses concassées dans une casserole. Ajouter les légumes coupés en morceaux puis le bouquet garni. Recouvrir d'eau et assaisonner.

Laisser bouillir doucement à découvert pendant 2 heures en écumant fréquemment pour retirer le gras qui remonte à la surface. Couler le fond dans une passoire ou à travers un linge fin et conserver au frais.

Dégraisser à nouveau si nécessaire.

Conseils:

Le fond blanc de volaille est utilisé pour pocher les volailles ou pour la cuisson de divers plats tels que les fricassées de poulet.

FUMET DE POISSON

pour 1,5 litre (6 tasses) de fumet de poisson

1 kg (2 1/4 lb) d'arêtes et de parures

de l'huile d'olive

60 g (1/4 de tasse) d'oignon

60 g (1/4 de tasse) de blanc de poireau

30 g (2 c. à soupe) de champignons ou de parures de champignons

2 litres (8 tasses) d'eau froide

1 petit bouquet garni

le jus d'un citron

sel et poivre du moulin

Bien nettoyer les arêtes et les parures de poisson. Dans une casserole anti-adhésive, faire revenir dans l'huile l'oignon, le blanc de poireau et les champignons préalablement coupés pendant 4 à 5 minutes. Ajouter les arêtes et les parures, l'eau et le bouquet garni. Assaisonner. Porter à ébullition et cuire à feu doux pendant 20 minutes. Écumer de temps en temps. Couler le fumet dans une passoire ou à travers un linge fin. Vérifier l'assaisonnement et ajouter le jus de citron. Conserver au froid jusqu'à utilisation.

Conseils:

Pour obtenir un meilleur fumet de poisson, utiliser seulement les arêtes des poissons blancs comme la sole ou l'aiglefin.

La moitié de l'eau de mouillement peut être remplacée par du vin blanc.

JUS DE CANARD

pour 1 litre (4 tasses) de jus

1 kg (2 1/4 lb) de carcasses et parures de canard

1 oignon

1 carotte

1/4 de poireau

3 gousses d'ail

1 petit bouquet garni

1 filet d'huile d'olive

sel et poivre du moulin

Placer les carcasses et les parures sans matière grasse sur une plaque allant au four et les faire brunir à 200° C (400° F). Ajouter l'oignon, la carotte et le poireau. Rôtir 4 à 5 minutes de plus. Retirer du four et transférer dans une casserole. Éviter de prendre la graisse qui a pu se déposer dans le fond de la plaque. Ajouter l'huile d'olive, l'ail et le bouquet garni. Recouvrir d'eau et assaisonner.

Cuire doucement à découvert pendant 2 heures. Écumer et dégraisser de temps en temps. Couler ensuite le fond, environ 1 litre, dans une passoire ou à travers un linge fin.

Conseils:

La meilleure façon de dégraisser les jus est également de les mettre dans un récipient au réfrigérateur. Les graisses se solidifieront à la surface et il sera alors plus facile de les retirer.

La moitié de l'eau de mouillement peut être remplacée par du vin rouge.

les entrées

BROCHETTE DE MOULES AU COUSCOUS
COULIS DE TOMATES

« Elle aime se faire déshabiller de sa carapace, mais, de grâce! Pas trop chaud, car sa sensualité vous comblera seulement si elle est à point. Il vous reste alors à la déposer sur son lit, au parfum du Maghreb. »

POUR 4 PERSONNES

Temps de préparation : 20 minutes — Temps de cuisson des moules : 5 à 8 minutes — Temps de cuisson du coulis : 20 minutes

Moules

454 g (1 lb) de moules

30 g (2 c. à soupe) d'échalotes, hachées

60 ml (1/4 de tasse) de vin blanc sec

1 branche de thym

1 feuille de laurier

2 tours de moulin à poivre

4 tomates cerises, coupées en deux

Coulis de tomates

60 g (1/4 de tasse) d'échalotes, hachées

30 ml (2 c. à soupe) d'huile d'olive

300 g (1 tasse) de tomates pelées, épépinées et coupées en morceaux

15 g (1 c. à soupe) de concentré de tomates

2 gousses d'ail, hachées

1 branche de thym

2 feuilles de laurier

sel et poivre du moulin

Couscous

180 g (3/4 de tasse) de couscous

125 ml (1/2 tasse) d'eau bouillante

30 ml (2 c. à soupe) d'huile d'olive

20 feuilles de menthe, hachées

1/2 botte (1 tasse) de persil, haché

1/2 citron (le jus)

sel et poivre du moulin

Préparer les moules : dans une casserole, mettre les moules, les échalotes, le vin blanc, le thym, le laurier, le poivre et les moules. Faire chauffer à couvert, à feu vif, en remuant bien. Cuire jusqu'à ce que les moules soient ouvertes. Laisser refroidir. Retirer les moules de leurs coquilles. Réserver le jus de moules pour le coulis de tomates.

Préparer le coulis de tomates : faire suer les échalotes dans une poêle avec un filet d'huile d'olive. Ajouter les tomates, le concentré de tomates, l'ail, le thym, le laurier et le jus de moules. Saler et poivrer. Laisser mijoter 20 minutes. Retirer le thym et le laurier et passer au pied mélangeur. Réserver au chaud.

Préparer le couscous : dans un grand bol, mélanger le couscous avec l'eau bouillante et l'huile d'olive. Laisser reposer de 30 à 45 minutes. Ajouter la menthe, le persil et le jus de citron. Saler et poivrer. Garder au chaud.

Monter les brochettes en enfilant les moules en alternance avec les demi-tomates. Réserver au réfrigérateur.

Au moment de servir, réchauffer les brochettes 5 minutes au four à 200° C (400° F).

Dresser le couscous au fond de l'assiette. Y déposer les brochettes et verser le coulis de tomates autour.

Conseils :

Lorsque vous achetez des moules fraîches, elles doivent être bien fermées ; si elles sont entrouvertes, elles doivent se refermer lentement lorsqu'on les frappe. Sinon, éliminez-les. Ne consommez pas les moules dont la coquille est endommagée. Comme tous les mollusques, ne cuisez pas trop les moules. Une cuisson trop longue leur fait perdre leur saveur et leur délicatesse.

Comment s'organiser :

- Une heure avant, préparer le couscous. Pendant que le couscous repose, cuire les moules et monter les brochettes.
- Trente minutes avant, préparer le coulis de tomates ; il se réchauffera sans problème.
- Au dernier moment, réchauffer le tout.

Santé

Riche en protéine et pauvre en graisse, la moule est riche en fer, en phosphore et en magnésium. Elle contient aussi de l'iode nécessaire au bon fonctionnement de la glande thyroïde. La moule a aussi l'avantage de pouvoir se cuisiner sans beurre et sans crème.

BROCHETTE DE MOULES AU COUSCOUS, COULIS DE TOMATES (p. 16)

CARPACCIO DE PÉTONCLES, VINAIGRETTE À LA VANILLE (p. 18)

Le menu

Brochette de moules au couscous – coulis de tomates
Cuisse de canard mijotée aux pruneaux et petits navets
– jus à l'amertume de cacao (page 110)
Chips de pommes en écailles – sorbet de bleuets et coulis de pommes (page 166)

CARPACCIO DE PÉTONCLES
VINAIGRETTE À LA VANILLE

« Il y a quelque chose d'insolite ici. Mais que fait-elle donc ? N'a-t-elle pas sa place avec les desserts ? Non, la vanille a mieux à faire ailleurs : se conjuguer au plus-que-parfait de la subtilité, avec son goût chaud et son parfum exotique venu des îles lointaines. « Merci » dira le pétoncle. »

POUR 4 PERSONNES

Temps de préparation : 30 minutes

24 pétoncles

90 g (3 oz) de haricots verts (extra fins)

30 g (2 c. à soupe) d'œufs de saumon

fleur de sel

poivre du moulin

Vinaigrette à la vanille

125 ml (1/2 tasse) d'huile d'olive

1/2 citron (le jus)

30 g (2 c. à soupe) d'échalotes, hachées

1 gousse de vanille

sel et poivre du moulin

Préparer la vinaigrette en mélangeant la moitié de l'huile d'olive, le jus de citron et les échalotes. Saler et poivrer. Ouvrir la gousse de vanille en deux, en gratter les graines et les ajouter dans la vinaigrette. Réserver. Tailler le reste de la gousse en longues lanières qui serviront à la décoration.

Badigeonner chaque fond d'assiette avec le reste de l'huile d'olive. Escaloper les pétoncles et utiliser les morceaux obtenus pour recouvrir le fond des assiettes. Réserver au frais.

Cuire les haricots dans l'eau bouillante salée. Les garder croquants. Rafraîchir à l'eau froide et les couper en biseau. Réserver.

Au moment de servir, assaisonner chaque assiette avec la fleur de sel et avec deux tours de moulin à poivre. Mettre au four une minute à 180° C (350° F) seulement pour tempérer les pétoncles et non pas pour les cuire. Parsemer de haricots verts et d'œufs de saumon. Napper de vinaigrette. Décorer avec les lanières de la gousse de vanille.

Conseils :

Saviez-vous que la vanille est le fruit d'une orchidée grimpante ?

Fendre la gousse de vanille et gratter les points noirs qu'elle contient est la meilleure façon d'apprécier toutes ses subtilités. Son parfum relèvera parfaitement les pétoncles. Essayez-la aussi avec d'autres crustacés comme la crevette ou le scampi.

Vous ne pouvez pas, dans ce plat, remplacer la gousse de vanille par un substitut. Une bonne gousse de vanille doit avoir une texture souple, comme un vieux cuir et être enfermée dans un emballage étanche comme un tube de verre.

Comment s'organiser :

- Deux heures avant, préparer la vinaigrette et cuire les haricots verts.
- Une heure avant, escaloper les pétoncles et les placer dans le fond de l'assiette.
- Au moment de servir, terminer l'assiette.

Santé

On dit de la vanille qu'elle est tonique, antiseptique et qu'elle stimule la digestion. Quant au pétoncle, il est une bonne source de minéraux. Il contient du phosphore et du cuivre qui renforcent les os ; du magnésium et du potassium qui agissent sur le système nerveux et aident à la contraction musculaire.

Carpaccio de pétoncles — vinaigrette à la vanille

Aiguillettes de canard glacé au sirop de cassis

galette de panais — salade de fines herbes (page 100)

Prunes aux pistils de safran sous croûte dorée (page 188)

CUISSES DE GRENOUILLE
ET POMMES GOLDEN ÉCRASÉES AU CITRON

« Il y a des compositions qu'au premier souffle, rien ne semble fiancer. L'un est presque abandonné, l'autre a autre chose à faire. Puis, à travers une herbe, une acidité, l'évidence apparaît. Ils sont faits pour vivre ensemble ; il faut parfois si peu de chose. »

POUR 4 PERSONNES

Temps de préparation : 25 minutes

8 cuisses de grenouille

30 ml (2 c. à soupe) d'huile d'olive

1 citron (jus et écorce)

julienne du citron, feuilles de basilic et d'origan pour décorer

sel et poivre du moulin

Pommes Golden écrasées

6 pommes Golden

1 citron (le jus)

5 g (1 c. à thé) d'herbes, hachées (basilic et origan)

30 ml (2 c. à soupe) d'huile d'olive

sel et poivre du moulin

Préparer les Golden écrasées : peler, couper en quatre et enlever le cœur des pommes. Cuire 10 minutes dans l'eau bouillante. Égoutter et mettre dans un bol. Écraser à la fourchette avec le jus du citron, l'huile d'olive et les fines herbes. Saler et poivrer. Réserver au chaud.

Prélever l'écorce du citron et tailler en julienne. Plonger ensuite la julienne dans une petite casserole d'eau froide et porter à ébullition. Égoutter et réserver.

Préparer les cuisses de grenouille : dans une poêle antiadhésive avec un filet d'huile d'olive, cuire à feu vif les cuisses de grenouille pendant 3 à 4 minutes ou jusqu'à ce qu'elles soient bien dorées. À la fin de la cuisson, presser le citron sur les cuisses puis saler et poivrer. Enlever de la poêle et égoutter sur un papier absorbant.

Dresser en déposant les Golden écrasées au milieu de l'assiette puis les cuisses de grenouilles sur le dessus. Ajouter un filet d'huile d'olive sur le tout. Décorer avec la julienne de citron et les feuilles de basilic et d'origan.

Conseils :

La cuisse de grenouille a été longtemps au menu de nos restaurants Elle tend à disparaître. Pourtant, sa chair est très délicate lorsque les cuisses sont achetées petites et qu'elles ne ressemblent pas à des cuisses de poulet. J'exagère, mais si peu...

Traiter la pomme à la manière d'un légume en la salant et en ajoutant des herbes fraîches. Elle fera un bel accompagnement aux viandes blanches comme le poulet ou le porc.

Comment s'organiser :

- Une heure avant, préparer les Golden écrasées ainsi que la julienne de citron.
- Dix minutes avant, cuire les cuisses de grenouilles.

Santé

La pomme, comme tous les aliments contenant des protéines, aide à réduire le taux de « mauvais » cholestérol sanguin (L.D.L.). Cuite, elle est laxative et accélère le transit. Peu calorique, la pomme est riche en potassium, en fibres et en vitamine C.

Le menu

Cuisses de grenouille et pommes Golden écrasées au citron

Enroulé de tilapia aux courgettes farci à la tomate séchée (page 81)

Abricots à l'estragon et aux dattes (page 171)

BULGHUR AUX RAISINS
ET SAUMON FUMÉ

« Il a l'odeur des pays des Mille et une nuits. Et ici, le bulghur est sublimé par un mariage vaporeux de fumée. »

POUR 4 PERSONNES

Temps de préparation : 30 minutes — Trempage du bulghur : 1 heure

240 g (1 tasse) de bulghur

500 ml (2 tasses) d'eau bouillante

60 ml (1/4 de tasse) d'huile d'olive

90 g (1/3 de tasse) de raisins blancs sans pépins

180 g (2/3 de tasse) de brunoise de carottes, de poivrons doux et de céleri

1 orange (le zeste et le jus)

5 g (1 c. à thé) de persil, haché

12 feuilles de menthe, hachées finement

sel et poivre du moulin

180 g (6 oz) de saumon fumé en tranches

feuilles de cerfeuil, d'estragon et de persil plat pour décorer

Autour de l'assiette

45 ml (3 c. à soupe) d'huile d'olive

15 ml (1 c. à soupe) de vinaigre balsamique

Faire tremper le bulghur dans l'eau bouillante pendant environ une heure. Ajouter l'huile d'olive, les raisins, la brunoise de légumes, le jus et le zeste d'orange, le persil et les feuilles de menthe. Saler et poivrer. Réserver au réfrigérateur.

Placer un morceau de pellicule plastique dans le fond de moules ronds. Disposer ensuite les tranches de saumon fumé, en les laissant déborder. Remplir les moules avec la salade de bulghur et refermer le tout. Réserver au réfrigérateur.

Dresser l'assiette : démouler le montage saumon fumé / bulghur et le déposer au milieu de l'assiette. Verser autour l'huile d'olive et le vinaigre balsamique. Décorer avec des feuilles de cerfeuil, d'estragon et de persil plat.

Conseils :

Ce plat pourrait être servi avec n'importe quel autre poisson fumé. Quant au bulghur, il pourrait être remplacé par le traditionnel couscous.

Les feuilles de menthe apporteront à ce plat toute la fraîcheur recherchée. La saveur de l'orange, mariée au goût de noisette du bulghur amène une certaine délicatesse.

Comment s'organiser :

- Deux heures avant : faire tremper le bulghur.
- Une heure avant : préparer le mélange du bulghur et garnir les moules.
- Au moment de servir, démouler et présenter l'assiette avec le saumon fumé et les derniers ingrédients.

Santé

Le bulghur est un grain de blé entier dont on a enlevé le son et qui est traité. D'abord cuit partiellement à la vapeur, il est ensuite asséché complètement puis moulu plus ou moins finement. Cuit, le bulghur contient entre autres du magnésium, du fer, du zinc et du potassium.

Le menu

Bulghur aux raisins et saumon fumé

Poulet farci aux herbes, sauce au safran — tomates et courgettes comme un gratin (page 126)

Soupe glacée de chocolat amer — œuf à la neige mentholée (page 194)

GRAVELAX DU MOMENT
SAUCE À L'ANETH

« Parfois, un plat tourne en rond, avance, recule, se perd, se retrouve. Il faudrait en retirer ou bien en ajouter pour rejoindre cette vérité du « juste ». Venant du Nord, celui-là a trouvé sa voie depuis longtemps. Avez-vous de l'aquavit ? Vite, mais pas trop. »

POUR 4 PERSONNES

Temps de préparation : 20 minutes — Temps de réfrigération : 30 minutes

360 g (12 oz) de filet de saumon
5 g (1 c. à thé) d'aneth, haché
5 g (1 c. à thé) de sucre
1 citron (le jus)
60 ml (1/4 de tasse) d'huile d'olive
15 g (1 c. à soupe) de fleur de sel
poivre du moulin
branches d'aneth pour décorer
oignon rouge, tranché mince pour décorer

Sauce à l'aneth

1 jaune d'oeuf
1/2 citron (le jus)
15 ml (1 c. à soupe) de moutarde de Meaux
125 ml (1/2 tasse) d'huile d'olive
5 g (1 c. à thé) d'aneth, haché
sel et poivre du moulin

Retirer les arêtes du filet de saumon. Escaloper finement et disposer ces escalopes sur les assiettes. Parsemer chaque filet d'aneth et de sucre. Presser le jus de citron au-dessus du poisson et verser l'huile d'olive. Ajouter la fleur de sel et deux tours de moulin à poivre. Conserver 30 minutes au réfrigérateur.

Préparer la sauce à l'aneth comme une mayonnaise : dans un bol, mettre le jaune d'œuf, le jus de citron, la moutarde forte, le sel et le poivre. Bien mélanger à l'aide d'un fouet et monter avec l'huile d'olive. Ajouter l'aneth.

Au moment de servir, décorer l'assiette avec les branches d'aneth. Servir la sauce à part.

Conseils :

Cette recette peut se réaliser avec d'autres poissons. Essayez-la avec un filet de truite ou de flétan. Une grande rigueur sur la fraîcheur du poisson est à respecter. Les ingrédients d'assaisonnement doivent être présents de manière à en exalter le goût naturel, sans jamais le masquer.

Comment s'organiser :

- Quelques heures avant, vous pouvez préparer la sauce à l'aneth et la conserver au réfrigérateur.
- Une heure avant, préparer le saumon sur les assiettes avec sa garniture.

Santé

Le saumon fait partie des poissons gras. Il contient des acides gras poly-insaturés du type Oméga 3 et Oméga 6, bénéfiques au système cardio-vasculaire. Évitez une congélation prolongée, car les qualités nutritionnelles se dégradent, entre autres, les acides gras Oméga 3.

Le menu

Gravelax du moment – sauce à l'aneth
Souris d'agneau aux oranges et gourganes (page 132)
Mangue et chocolat – sauce à l'avocat (page 179)

CARPACCIO DE LÉGUMES À L'ESTRAGON

« Il date de la nuit des temps car, à cette époque, tout était cru. Le carpaccio est historiquement lié à la couleur rouge puisqu'il est porteur de l'incomparable charme de sa Venise natale. Mais lui n'a rien à voir avec son Carnaval puisqu'il n'a pas de masque. Il nous empêche de tricher. »

POUR 4 PERSONNES

Temps de préparation : 25 minutes

2 courgettes
90 g (1/3 de tasse) de radis roses
1/2 avocat
8 champignons
8 tomates cerises rouges et jaunes
1 citron (le jus)
60 ml (1/4 de tasse) d'huile d'olive
fleur de sel
poivre du moulin
des feuilles d'estragon pour décorer

Sauce à l'estragon

5 g (1 c. à thé) de moutarde forte
1/2 citron (le jus)
15 g (1 c. à soupe) d'estragon, haché
180 g (3/4 de tasse) de fromage blanc à 0 % en matières grasses
sel et poivre du moulin

Nettoyer les courgettes et les radis. Les couper en fines lamelles à l'aide d'une mandoline. Couper aussi finement l'avocat et les champignons en prenant soin de les citronner légèrement. Trancher de la même manière les tomates cerises.

Placer harmonieusement tous ces légumes dans le fond de chaque assiette. Badigeonner d'huile d'olive et ajouter la fleur de sel et deux tours de moulin à poivre. Réserver au réfrigérateur.

Préparer la sauce à l'estragon : dans un bol, mélanger la moutarde forte, le jus de citron, l'estragon, le sel et le poivre. Ajouter ensuite le fromage blanc. Si le mélange vous semble un peu épais, ajouter un peu d'eau froide.

Au moment de servir, étendre la sauce à l'aide d'une cuillère. Décorer avec des feuilles d'estragon.

Conseils :

Dans la sauce, vous pourriez remplacer l'estragon par une autre herbe fraîche (comme l'aneth ou l'origan) disponible dans votre jardin ou chez votre épicier.

Ne vous limitez pas aux légumes mentionnés dans cette recette. Laissez-vous inspirer par la fraîcheur du moment ; vous y gagnerez en goût.

Comment s'organiser :

- Une heure avant, vous pouvez préparer la sauce à l'estragon.
- Quarante-cinq minutes avant de servir, préparer vos légumes et les disposer dans l'assiette.

Santé

En consommant les légumes crus comme présentés dans cette recette, vous récupérez tous leurs éléments nutritifs. La conservation des légumes est aussi d'une importance vitale pour leur saveur, leur valeur nutritive et leur texture.

Carpaccio de légumes à l'estragon
Morue poêlée à l'unilatéral – crème de céleri-rave (page 84)
Sabayon de figues aux pistaches et vin de glace (page 190)

FLAN DE LÉGUMES
PURÉE DE PETITS POIS

« On appelle flan une crème prise, renversée ou moulée. Ah ! les classiques incontournables, parfois indémodables souvent remis au goût du jour. On s'y ressource comme on revient aux recettes de nos mères ou grand-mères. On sait qu'en les utilisant, on ne se trompera pas. Elles sont là devant l'éternité... ou presque. Enfin, disons qu'au Moyen-Âge, des cuisiniers en préparaient déjà. »

POUR 4 PERSONNES

Temps de préparation : 20 minutes — Temps de cuisson : 45 minutes

90 g (1/3 de tasse) de fleurs de brocoli et chou-fleur

90 g (1/3 de tasse) de brunoise de carottes et de courgettes

30 g (2 c. à soupe) d'échalotes, hachées

2 gousses d'ail, hachées

30 ml (2 c. à soupe) d'huile d'olive

4 œufs

250 ml (1 tasse) de lait

5 g (1 c. à thé) de ciboulette, hachée

sel et poivre du moulin

Purée de petits pois

90 g (1/3 de tasse) de petits pois (frais de préférence)

90 g (1/3 de tasse) de fromage blanc à 0 % M.G.

sel et poivre du moulin

quelques petits pois entiers pour décorer

quelques jeunes pousses de pois pour décorer

Couper les fleurs de brocoli et de chou-fleur de la taille d'un petit pois.

Dans une poêle antiadhésive avec un filet d'huile d'olive, faire sauter les échalotes et l'ail. Ajouter les légumes et cuire 2 à 3 minutes. Assaisonner et retirer du feu.

Dans un bol, mélanger les œufs, le lait et la ciboulette hachée. Assaisonner.

Huiler quatre ramequins à l'aide d'un papier absorbant. Répartir les légumes sautés dans chacun des ramequins et y verser le mélange œufs / lait. Cuire au bain-marie 45 minutes à 180° C (350° F).

Préparer la purée de petits pois : cuire les pois 5 minutes dans l'eau bouillante salée. Égoutter et rafraîchir à l'eau froide. À l'aide d'un bras mélangeur, mélanger les petits pois avec le fromage. Assaisonner. Ajouter de l'eau si la texture vous semble un peu épaisse. Garder au chaud, sans faire bouillir.

Dresser la purée de petits pois au fond de chaque assiette. Y déposer ensuite le flan. Terminer en décorant avec des petits pois entiers.

Conseils :

Lorsque vous cuisinez la purée de petits pois avec du fromage blanc sans matière grasse, évitez de faire bouillir ; vous provoqueriez alors une séparation de la sauce et donc une perte d'homogénéité.

N'ayez pas peur de préparer le flan avec les légumes frais disponibles.

Peut-être vous sera-t-il difficile de trouver des petits pois frais ? Faites alors la purée avec des petits pois congelés.

Comment s'organiser :

- Deux heures avant, préparer les légumes et le mélange d'œufs et de lait.
- Une heure avant, cuire les flans et préparer la purée de petits pois.

Santé

Un plat de légumes, quoi de mieux? Il est rempli de vitamine C, de provitamine A et de fibres. Le tout accompagné d'une purée de petits pois, qui eux sont riches en glucides, en phosphore et en potassium et à l'index glycémique relativement modéré.

Le menu

Flan de légumes — purée de petits pois

Foie de veau saisi — compote d'oignons,
salade mesclun — vinaigrette aux épices (page 120)

Pommes au four — miel et noix (page 186)

GALETTE À LA PERSILLADE DE CHAMPIGNONS
JAMBON CRU

« Le mal est connu : ils peuvent semer un délicieux trouble... les champignons. Mais, ce mariage de la terre est une union de simplicité. Laissons un peu de place au jambon cru, car il n'est pas simple de faire simple. »

POUR 4 PERSONNES

Temps de préparation : 30 minutes

4 pommes de terre

30 ml (2 c. à soupe) d'huile d'olive

60 g (1/4 de tasse) de cheddar, râpé

90 g (1/3 de tasse) de jambon cru, en copeaux

sel et poivre du moulin

Persillade de champignons

60 g (1/4 de tasse) d'échalotes, hachées

30 ml (2 c. à soupe) d'huile d'olive

240 g (8 oz) de champignons (pleurotes et chanterelles) coupés en morceaux

2 gousses d'ail, hachées

15 g (1 c. à soupe) de persil, haché

sel et poivre du moulin

Garniture

Quelques feuilles de mesclun

30 ml (2 c. à soupe) d'huile d'olive

1/2 citron (le jus)

sel et poivre

Peler les pommes de terre. Les râper à l'aide d'une râpe à légumes. Rincer ensuite à l'eau courante ; égoutter et déposer dans un linge pour les assécher.

Dans une petite poêle antiadhésive d'environ 10 cm (4 po) de diamètre, verser un filet d'huile et recouvrir le fond de la poêle de pommes de terre râpées. Faire cuire 7 à 8 minutes de chaque côté jusqu'à obtenir une belle coloration. Assaisonner et réserver au chaud (si vous utilisez une plus grande poêle, former quatre galettes).

Préparer la persillade de champignons : faire suer les échalotes dans une poêle avec un filet d'huile d'olive. Ajouter les champignons et l'ail. Saler et poivrer. Cuire quelques minutes à feu vif. Ajouter le persil.

Répartir la persillade sur les galettes de pommes de terre. Parsemer de cheddar râpé. Au moment de servir, mettre au four 5 minutes à 180° C (350° F).

Dresser chaque galette dans une assiette et garnir de copeaux de jambon. Décorer de quelques feuilles de mesclun préalablement mélangées avec les autres ingrédients de la garniture.

Conseils :

Le jambon cru peut être aussi bien un jambon de Bayonne ou un bon prosciutto.

Dans cette recette, si la saison le permet, n'hésitez pas à utiliser des champignons sauvages, si nombreux chez nous.

Comment s'organiser :

- Vous pouvez préparer les galettes de pommes de terre quelques heures avant. Une fois cuites, réservez-les sous un linge humide à la température de la pièce.
- Trente minutes avant de servir, préparer la persillade.
- Au moment de servir, enfourner pour réchauffer.

Santé

La pomme de terre est très raisonnable en calories, lorsqu'on la prépare sans trop de gras. Dès qu'elle est transformée en frites ou en chips, elle devient carrément insupportable. La pomme de terre contient de la vitamine B6, du magnésium et du fer.

Galette à la persillade de champignons — jambon cru

Homards aux épices et aux figues (page 78)

Crème brûlée au basilic et aux tomates confites (page 168)

HUÎTRES FARCIES AU CRABE (p. 30)

GALETTE À LA PERSILLADE DE CHAMPIGNONS, JAMBON CRU (p. 28)

HUÎTRES FARCIES AU CRABE

« Tout est dans la nuance. Inutile de faire du volume: ils sont deux, l'huître et le crabe, et ils se connaissent bien. Ils nagent dans les mêmes eaux. Mais, ils sont aussi délicats. Une bonne cuisson pour l'un et se limiter à l'assaisonnement pour l'autre. »

POUR 4 PERSONNES

Temps de préparation : 30 minutes

16 huitres

240 g (1 tasse) de chair de crabe

90 g (1/3 de tasse) d'asperges (conserver quelques têtes d'asperges pour décorer)

2 tomates, pelées, épépinées et coupées en brunoise

180 ml (3/4 de tasse) de crème sure

1/2 citron (le jus)

5 g (1 c. à thé) de ciboulette, hachée

sel et poivre du moulin

des brins de persil pour décorer

Ouvrir les huîtres et récupérer le jus. Déposer les huîtres et leur jus dans une casserole. Faire pocher deux minutes. Laisser refroidir. Nettoyer les coquilles des huîtres.

Cuire les asperges dans l'eau bouillante salée. Les garder croquantes. Rafraîchir à l'eau froide. Égoutter et couper en très petits morceaux.

Dans un bol, mélanger les asperges, les tomates, la crème sûre, le jus de citron et la ciboulette. Saler et poivrer. Puis, ajouter la chair de crabe.

Remplir les coquilles des huîtres avec la farce de crabe. Y déposer l'huître pochée sur le dessus. Étendre du gros sel dans le fond de chaque assiette et y placer les coquilles. Décorer de têtes d'asperge et de persil.

Conseils :

Les huîtres fraîches en écailles doivent être achetées vivantes et pleines d'eau. Une huître vivante est fermée et, comme elle est remplie d'eau, elle est naturellement assez lourde.

On nomme souvent les huîtres d'après leur provenance. Dans l'Est du Canada, les plus connues sont : la Caraquet (N.-B.) et la Malpèque (I.-P.-É). Aux États-Unis, l'huître Blue Point et la Cape Cod sont aussi passablement connues.

Ne faites surtout pas pocher l'huître trop longtemps. Elle doit rester moelleuse ; elle conservera alors toutes ses saveurs gustatives.

Comment s'organiser :

- Une heure avant, cuire les asperges et préparer la farce de crabe. Puis, ouvrir les huitres et nettoyer les coquilles.
- Trente minutes avant, pocher les huitres et farcir les coquilles.

Santé

Pauvre en lipides, l'huître est une excellente source de protéines. Elle est également riche en calcium, en magnésium, en fer et en zinc. Elle contient aussi de l'iode, indispensable au bon fonctionnement de la glande thyroïde. Pour optimiser l'absorption de l'huître, il est préférable de la consommer « nature ». L'huître est reconnue pour être un aliment régénérateur et vivifiant.

Le menu

Huîtres farcies au crabe

Longe de chevreuil à l'infusion d'herbes — garniture comme grand-mère (page 122)

Tartare de papaye aux graines d'anis — coulis de mûres (page 198)

TARTARE DE BŒUF
COULIS D'AVOCAT

« Avant tous les autres, il fut le premier : le tartare de bœuf. Puis, il a laissé filer son nom au gré des plats. On lui substitua tout ce qui venait de la mer, pour le meilleur, bien sûr.

Mais que fait cet avocat là ? Y-a-t-il litige ? Oh que non ! Vous verrez, il adoucira les mœurs, les saveurs et les mettra à l'unisson. »

POUR 4 PERSONNES

Temps de préparation : 25 minutes — Temps de repos du tartare : 1 heure

180 g (6 oz) de filet de boeuf

30 g (2 c. à soupe) d'échalotes, hachées

1 jaune d'œuf

5 g (1 c. à thé) de ciboulette, hachée

15 ml (1 c. à soupe) d'huile d'olive

sel et poivre du moulin

des feuilles de chêne et quelques câpres pour décorer

Coulis d'avocat

1 avocat

1/2 mangue

1/2 citron (le jus)

30 ml (2 c. à soupe) d'huile d'olive

sel et poivre du moulin

Préparer le tartare de bœuf : hacher le filet de bœuf au couteau. Dans un bol, mélanger avec l'échalote, le jaune d'œuf, la ciboulette et l'huile d'olive. Assaisonner. Réserver une heure au réfrigérateur.

Préparer le coulis d'avocat : mettre tous les ingrédients dans un bol et mélanger à l'aide d'un pied mélangeur. Si la texture vous semble trop épaisse, ajouter un peu d'eau.

Pour dresser, verser le coulis d'avocat dans le fond de chaque assiette. Former deux quenelles avec le tartare de bœuf. Décorer le tour de l'assiette avec les feuilles de chêne et aligner quelques câpres sur le tartare.

Conseils :

Est-il nécessaire de mentionner que la viande de bœuf doit être d'une extrême fraîcheur ? Qu'elle doit être d'un rouge vif, brillante, ferme et élastique?

Hacher la viande au couteau est incontournable. Au mélangeur, la viande chaufferait par la vitesse du couteau et serait ainsi endommagée.

Comment s'organiser :

- Une heure avant, préparer le tartare de bœuf et le coulis d'avocat.
- Dresser à la dernière minute.

Santé

Le bœuf est une excellente source de protéines, de potassium, de zinc et de certaines vitamines. Elle est la viande la plus riche en fer. Elle peut être aussi une source importante d'acides gras saturés et de cholestérol.

Tartare de bœuf — coulis d'avocat

Turbot à la julienne de légumes — sauce au persil *(page 96)*

Fraises au vinaigre balsamique — sorbet de poire au gingembre *(page 178)*

RAVIOLES DE SCAMPIS
SAUCE AUX POIVRONS

« Il y a des plats d'exception. Un scampi emprisonné pour mieux capter ses nuances. Il y a des plats d'émotion. La salicorne ne dure guère et c'est pour cela qu'on la connaît mal. Elle pousse si bien sur le bord de notre fleuve. On peut la rencontrer dans le vinaigre mais... En revanche, fraîche, toute sa dimension apparaît alors. Il y a des plats de sensation. Une sauce doucereusement fumée d'un poivron rougeoyant. »

POUR 4 PERSONNES

Temps de préparation : 20 minutes — Temps de cuisson : 5 minutes

12 scampis
4 galettes de riz
60 g (1/4 de tasse) de salicorne
sel et poivre du moulin
12 feuilles de menthe (optionnel)

Sauce aux poivrons
4 poivrons rouges
180 ml (3/4 de tasse) de crème sure
sel et poivre du moulin

Décortiquer et déveiner les scampis. Assaisonner.

Humecter une à une les galettes de riz avec de l'eau chaude. Diviser en quatre chacune des galettes et envelopper chaque scampi de manière à former un petit paquet. Réserver.

Préparer la sauce aux poivrons : mettre les poivrons rouges sous le gril du four ou mieux sous la flamme si vous cuisinez avec un feu au gaz. Laisser noircir. Peler ensuite sous l'eau courante et couper les poivrons en deux. Retirer les pépins. À l'aide d'un pied mélangeur, broyer les poivrons puis, ajouter la crème sure. Assaisonner et garder au chaud, sans faire bouillir.

Au moment de servir, cuire les ravioles de scampis à la vapeur, en les déposant dans une marguerite avec la salicorne au fond, pendant environ 5 minutes.

Dresser en déposant la sauce au fond des assiettes, puis les ravioles par-dessus. Décorer de feuilles de menthe.

Conseils :

On trouve les galettes de riz dans les produits asiatiques. Il suffit de les humecter une à une de quelques gouttes d'eau chaude pour leur donner la souplesse nécessaire à la manipulation.

Ne faites pas bouillir la sauce de poivrons. Préparée avec du fromage blanc sans matière grasse, la sauce se séparerait et perdrait donc son homogénéité.

Passer les poivrons sous la flamme donnera à la sauce un goût fumé. Inimitable.

Ne faites pas trop cuire les scampis, ils deviendraient caoutchouteux et perdraient de leur saveur.

Comment s'organiser :

- Une heure avant, préparer les ravioles de scampis et la sauce de poivrons.
- Dix minutes avant, cuire les ravioles à la vapeur.

Santé

Le poivron est particulièrement riche en vitamine C et a une bonne teneur en provitamine A. On le dit diurétique, stimulant, digestif et antiseptique. Quant au scampi, il est riche en protéines, très digeste et pauvre en lipides.

Le menu

Ravioles de scampis — sauce aux poivrons
Carré d'agneau à l'étouffée de thym — légumes racines (page 104)
Flan de litchis au Saké et gingembre — sauce à l'orange (page 174)

NAPOLÉON DE POIRES SÉCHÉES
CRESSON, TOMATES CERISES ET ASPERGES

« Les poires séchées croisent la fraîcheur; c'est le plat de la légèreté. Le croquant du premier va rivaliser avec le juteux du second. Métamorphose ! »

POUR 4 PERSONNES

Temps de préparation : 20 minutes — Séchage des poires : 8 heures

2 poires

1 citron (le jus)

Vinaigrette

1 poire pelée, vidée et coupée en brunoise

45 ml (3 c. à soupe) d'huile d'olive

15 g (1 c. à soupe) de noix ou de pistaches, concassées

1/2 citron (le jus)

Pour la garniture

12 asperges blanches (si non disponibles, prévoir des asperges vertes)

30 ml (2 c. à soupe) d'huile d'olive

15 ml (1 c. à soupe) de vinaigre balsamique

30 g (2 c. à soupe) d'échalotes, hachées

1 gousse d'ail, hachée

5 g (1 c. à thé) d'origan, haché

6 tomates cerises rouges, tranchées

90 g (1/3 de tasse) de cresson, lavé et équeuté

sel et poivre du moulin

des feuilles de cresson pour décorer

Préparer les poires séchées : à l'aide d'une mandoline, couper les poires dans le sens de la longueur à 2 mm (1/8 po) d'épaisseur (environ 8 à 10 tranches par poire). Citronner les tranches et les déposer sur une plaque à pâtisserie tapissée d'un papier sulfurisé. Faire sécher au four très doux à 40° C (80° F) durant environ 8 heures. Les conserver ensuite dans une boîte hermétique à la température ambiante jusqu'au moment de les utiliser.

Faire la vinaigrette en mélangeant tous les ingrédients.

Préparer la garniture : couper le bout des asperges et les cuire à l'eau bouillante salée. Les garder croquantes. Rafraîchir les asperges sous l'eau froide et les couper en deux.

Dans un bol, mélanger l'huile d'olive, le vinaigre balsamique, l'échalote, l'ail et l'origan. Saler et poivrer. Puis, très délicatement, ajouter les tomates cerises, les asperges et le cresson.

Dans une assiette, déposer la garniture et terminer par des tranches de poire. Verser la vinaigrette autour et décorer avec du cresson.

Conseils :

Achetez des asperges de même grosseur; elles cuisent alors plus uniformément. Choisissez celles dont la couleur est vive et qui ont les tiges bien fermes.

Les asperges fraîches se conservent deux à trois jours, à condition d'être enveloppées dans un linge humide. Elles se congèlent; mais, dans ce cas, ne vous attendez pas à la même qualité.

Le montage de cette entrée doit se faire à la dernière minute. La fraîcheur de la salade fait alors toute la différence avec le croquant de la poire séchée.

Comment s'organiser :

- La préparation des tranches de poires séchées peut se faire quelques jours à l'avance. Il s'agit alors de bien les conserver dans une boite hermétique.
- Quelques heures avant, préparer la vinaigrette et cuire les asperges.
- Au moment de servir, mélanger le tout et faire le montage.

Santé

Le cresson fait partie des légumes verts riches en minéraux, vitamine C, vitamine A et potassium. On dit du cresson qu'il a des propriétés « reminéralisantes » pour l'organisme et qu'il est aussi diurétique, anti-anémique et vermifuge. Néanmoins, le cresson qui pousse à l'état sauvage abrite souvent un parasite, la douve du foie, à l'origine de maladies hépato-biliaires ; c'est pourquoi, il est déconseillé de consommer le cresson des rivières.

Le menu

Napoléon de poires séchées — cresson, tomates cerises et asperges

Noisettes de lapin à l'origan — tombée d'endives et marrons (page 124)

Pêches et bananes rôties en feuille de bananier (page 184)

L'ŒUF CASSÉ SUR UN SAUTÉ DE CHAMPIGNONS

« Va te faire cuire un œuf» «Plein comme un œuf». «Rond comme un œuf». Que d'expressions! L'œuf a décidément le dos large. Et pourtant! À la fois simple et difficile, capricieux et étonnant. Vous le cuisez une minute de plus et il n'est plus le même. Vous l'accrochez et il se répand sans que vous ne le vouliez. Vous le séparez et vous voilà avec d'autres préparations. Et pourtant... »

POUR 4 PERSONNES

Temps de préparation : 30 minutes — Temps de cuisson des œufs : 3 minutes — Temps de cuisson des champignons :5 minutes

4 œufs

1,5 l (6 tasses) d'eau

30 ml (2 c. à soupe) de vinaigre de vin rouge

Sauté de champignons

300 g (10 oz) de champignons (morilles, chanterelles, cèpes, pleurottes)

15 ml (1 c. à soupe) d'huile d'olive

30 g (2 c. à soupe) d'échalotes, hachées

60 ml (1/4 de tasse) de porto

5 g (1 c. à thé) de persil, haché

sel et poivre du moulin

Préparer le sauté de champignons : couper les morilles en deux, dans le sens de la longueur. Les laver très rapidement dans plusieurs bains d'eau en évitant de les laisser tremper. Laver les chanterelles de la même façon. Si elles sont petites, les laisser entières, sinon les couper en morceaux. Essuyer soigneusement les cèpes et les pleurottes avec un linge humide puis les trancher en fines lamelles.

Dans une poêle antiadhésive avec un filet d'huile d'olive, faire suer les échalotes hachées. Ajouter les champignons sur feu très vif et cuire 4 à 5 minutes. Assaisonner et parsemer de persil haché. Retirer avec une écumoire et garder au chaud. Déglacer la poêle avec le porto et faire réduire de moitié.

Préparer les œufs : verser l'eau dans une grande casserole. Ajouter le vinaigre et porter jusqu'au frémissement. Casser les œufs un à un dans un ramequin, sans briser le jaune et les faire glisser dans l'eau. Cuire 3 minutes sans ébullition en prenant soin durant la cuisson de ramener le blanc autour du jaune à l'aide d'une petite écumoire. Égoutter délicatement les œufs pochés sur une serviette.

Dresser les champignons dans le fond de chaque assiette. Y déposer l'œuf. Napper les champignons de la réduction de porto. Au dernier moment, donner un coup de couteau dans le jaune afin qu'il se répande sur les champignons. Déguster aussitôt.

Comment s'organiser :

- Une heure avant, préparer et cuire les champignons et faire la sauce.
- Dix minutes avant, cuire les œufs et dresser.

Santé

L'œuf est une bonne source de protéines. Deux œufs équivalent en protéines à 100 g (3 1/2 oz) de viande. Le jaune contient, entre autres, du fer mais est également riche en acides gras saturés et en cholestérol. Quant aux champignons dont la teneur en potassium et en phosphore aide à améliorer l'effort musculaire, on le dit diurétique et apportant des vitamines du groupe B, nécessaires au bon fonctionnement musculaire et nerveux.

L'œuf cassé sur un sauté de champignons

Brochette de pétoncles — coulis d'épinards — linguini à l'encre de calmar (page 64)

Fraises au vin rouge épicé (page 176)

NEMS DE CONCOMBRES
AUX FRAÎCHEURS DU JARDIN

« Il est né en Asie, sans doute entre la Baie d'Along et la Mer de Chine. Il est fait de galette de riz et remplit de sourire. Celui au concombre croustillera sous vos dents et vous fera des yeux bridés ».

POUR 4 PERSONNES

Temps de préparation : 30 minutes

3 concombres anglais, longs d'environ 20 cm (8 po)

Vinaigrette

30 ml (2 c. à soupe) d'huile d'olive

30 ml (2 c. à soupe) d'huile de sésame

1/2 citron (le jus)

1 gousse d'ail, hachée

60 g (1/4 de tasse) de poivrons multicolores, en brunoise

5 g (1 c. à thé) de coriandre, hachée

sel et poivre du moulin

Pour la garniture

1 avocat, coupé en petits cubes

12 asperges vertes, blanchies et coupées en deux sur la longueur

240 g (1 tasse) de carottes, en julienne

240 g (1 tasse) de poivron doux (rouge, vert, jaune), en julienne

120 g (1/2 tasse) de pousses de cresson ou de germes de luzerne

2 bottes de salade mâche

quelques feuilles de coriandre fraîches

poivre du moulin

feuilles de coriandre pour décorer

Préparer la vinaigrette en mélangeant tous les ingrédients. Réserver.

Dans un bol, mélanger délicatement l'avocat, les asperges, les carottes, les poivrons et quelques feuilles de coriandre avec la moitié de la vinaigrette.

Couper les extrémités de chaque concombre. Les peler et, à l'aide d'une mandoline, les couper dans le sens de la longueur afin d'obtenir 32 tranches très fines. Disposer 4 de ces tranches côte à côte en les faisant se chevaucher légèrement de manière à former un carré.

Répartir la garniture le long de chaque carré de concombre. Ajouter les pousses de cresson ou les germes de luzerne ainsi que la salade mâche en prenant soin de les laisser dépasser à l'une des extrémités des Nems. Rouler bien serré.

Dresser en coupant les Nems en trois pour pouvoir les présenter debout. Verser le reste de la vinaigrette autour. Décorer avec des feuilles de coriandre. Terminer par 2 tours de moulin à poivre.

Conseils :

Vous pourriez varier la garniture des Nems selon ce que vous trouvez sur le marché.

Achetez les concombres bien verts et fermes, pas trop gros. Plus ils sont gros et moins leur goût est intéressant. Ils n'aiment pas la congélation et ils ont bien raison.

Comment s'organiser :

- On peut préparer la vinaigrette et les carrés de tranches de concombres quelques heures avant. Conservez-les alors au réfrigérateur en recouvrant les tranches de concombre avec un linge humide.
- Pour le reste de la recette et afin de conserver toute la fraîcheur, il est préférable de faire les Nems à la dernière minute.

Santé

On dit du concombre qu'il est diurétique, dépuratif et calmant. Peu calorique, il peut être mal toléré pour les intestins fragiles. Pour y remédier, achetez-le jeune et très frais et faites-le dégorger. Le concombre est aussi reconnu pour son action astringente pour la peau et son effet de détoxication.

Le menu

Nems de concombres aux fraîcheurs du jardin

Cailles de l'Île, sauce au cassis – Tomates à l'épeautre mentholé (page 102)

Petits fruits à la cardamome (page 164)

TOURTE AU POIREAU — ÉPINARDS
ET FOIES DE VOLAILLE

« Le rustique a ce sens « du vrai ». Le rustique, c'est la terre, parfois des produits oubliés ou que l'on a oubliés. Il n'y pas de fla-fla, pas de surprise; c'est confortable, nous sommes en pays connu. Inutile de s'emballer... on sait: c'est bon. »

POUR 4 PERSONNES

Temps de préparation: 25 minutes — Temps de cuisson: 35 minutes

8 foies de volaille, coupés en petits dés

4 grandes feuilles de chou de Savoie

120 g (1/2 tasse) d'épinards, équeutés, lavés et égouttés

120 g (1/2 tasse) de poireau, haché finement

2 œufs

60 ml (1/4 de tasse) de lait

30 g (2 c. à soupe) de fromage, râpé (type cheddar ou suisse)

5 g (1 c. à thé) d'estragon, haché

noix de muscade

sel et poivre du moulin

feuilles d'estragon pour décorer

Coulis de tomates

60 g (1/4 de tasse) d'échalotes, hachées

300 g (1 1/2 tasse) de tomates, pelées, épépinées et coupées en morceaux

15 g (1 c. à soupe) de concentré de tomates

250 ml (1 tasse) de bouillon de volaille

2 gousses d'ail, hachées

1 branche de thym

2 feuilles de laurier

sel et poivre du moulin

Blanchir les feuilles de chou de Savoie 4 minutes. Rafraîchir et retirer la grosse côte. Réserver.

Dans une casserole avec un filet d'huile d'olive, faire suer le poireau 3 à 4 minutes. Ajouter les épinards et les faire tomber 1 ou 2 minutes de plus. Assaisonner. Laisser refroidir.

Préparer le coulis de tomates: faire suer les échalotes dans une poêle avec un filet d'huile d'olive. Ajouter les tomates, le concentré de tomates, le bouillon de volaille, l'ail, le thym et le laurier. Laisser mijoter 20 minutes. Retirer le thym et le laurier et passer au pied mélangeur. Réserver au chaud.

Dans un bol, mélanger les œufs, le lait, le fromage, l'estragon, le poireau et les épinards. Assaisonner de muscade. Saler et poivrer.

Dans une poêle avec un filet d'huile, faire sauter 2 à 3 minutes les foies de volaille. Assaisonner et réserver.

Monter la tourte: tapisser quatre petits moules ou un moule rond de 20 cm (8 po) avec les feuilles de chou de Savoie; elles doivent recouvrir le fond et les bords et déborder suffisamment pour replier la feuille une fois le moule garni. Verser le mélange de poireau et d'épinards à l'intérieur, Ajouter les dés de foies de volaille sur le dessus et replier les feuilles de chou. Cuire au bain-marie 35 minutes à 180° C (350° F). Décorer de feuilles d'estragon. Servir tiède ou chaud avec le coulis de tomates.

Conseils:

Remplacer la traditionnelle pâte par une feuille de chou de Savoie pour recouvrir le fond de votre moule permet d'éliminer les farines.

Comment s'organiser:

- Deux heures avant, blanchir les feuilles de chou. Préparer et cuire les épinards et le poireau. Faire sauter les foies de volaille et préparer le coulis de tomates.
- Une heure avant, mélanger les œufs et les autres ingrédients. Puis, monter la tourte et la cuire.

Santé

On dit du poireau qu'il est laxatif, anti-arthritique, antiseptique, diurétique et tonique. Pauvre en calories et gorgé d'eau, il peut être introduit dans un régime amaigrissant lorsque consommé «au naturel».

Quant aux épinards, contrairement à leur réputation, ils ne sont pas particulièrement riches en fer, mais sont une bonne source de vitamine C, de provitamine A et de minéraux.

Le menu

Tourte au poireau — épinards et foies de volaille
Bar poêlé — bardé de thym et lentilles *(page 62)*
Carpaccio de melon et coriandre — granité au muscat *(page 165)*

les soupes et potages

HARICOTS COCOS EN SOUPE
POIVRONS ROUGES CONFITS ET PLEUROTES

« J'aime ceux qui m'attendent avec un appétit ouvert. Avec un esprit curieux. Ils demandent juste qu'on les étonne. Avec une bonhomie et une humeur joyeuse. On se trompe rarement avec eux. Ils ont l'esprit franc. Ils sont déjà heureux d'être ensemble. Ils respirent la joie de vivre. Ils ne sont pas là pour chipoter. Ils sont là pour un moment de bonheur. Il reste à donner notre meilleur. »

POUR 4 PERSONNES

Temps de préparation : 40 minutes — Temps de cuisson : 35 minutes — Temps de trempage : 6 à 8 heures

300 g (1 1/2 tasse) de haricots blancs secs (cocos)

1 l (4 tasses) d'eau froide

1 carotte, coupée en cubes

1 oignon, émincé

1 branche de céleri, émincée

3 gousses d'ail

45 ml (3 c. à soupe) d'huile d'olive

1,5 l (6 tasses) de bouillon de poulet

1 petit bouquet garni

45 ml (3 c. à soupe) d'huile d'olive

4 pleurotes

30 ml (2 c. à soupe) d'huile de noisette

une pincée de poivre de cayenne

sel et poivre du moulin

du persil plat pour décorer

fleur de sel

Poivrons rouges confits

4 poivrons rouges (selon la grosseur)

45 ml (3 c. à soupe) d'huile d'olive

fleur de sel

Tremper les haricots dans l'eau froide pendant 6 à 8 heures au réfrigérateur.

Préparer les poivrons rouges confits : les couper en deux et les épépiner. Passer les poivrons sous le gril du four ou sous la flamme de la cuisinière au gaz afin de pouvoir retirer facilement la peau. Couper en quartiers. Disposer les morceaux de poivrons sur une plaque à pâtisserie et verser un filet d'huile d'olive. Parsemer de fleur de sel. Faire dessécher au four pendant environ 3 heures à 60° à 80° C (130° à 160° F).

Préparer la soupe : dans une casserole, faire revenir avec de l'huile d'olive les légumes et les gousses d'ail coupées en deux et dégermées. Ajouter les haricots égouttés et le bouillon de poulet. Ajouter le bouquet garni ; porter à ébullition. Faire cuire 30 à 40 minutes à feu doux. Saler et poivrer à mi-cuisson.

Passer au mélangeur afin d'obtenir une soupe liquide et lisse. Ajouter une pincée de poivre de cayenne : cette recette doit être relevée. Garder au chaud.

À la dernière minute, dans une poêle antiadhésive, faire sauter les pleurotes avec un filet d'huile. Saler et poivrer. Superposer les pleurotes et les poivrons et tailler en gros cubes. Tremper un côté des cubes dans le persil pour décorer.

Verser la soupe dans une assiette creuse. Ajouter un cube de pleurote et poivron sur le dessus. Arroser d'un filet d'huile de noisette et une pincée de fleur de sel.

Conseils :

Si vous désirez conserver les poivrons rouges confits, mettez-les dans un pot à confiture et recouvrez-les d'huile d'olive. Entreposer ensuite au frais.

Le trempage vise à redonner aux légumes secs l'eau qu'ils ont perdue. Cela permet aussi de diminuer le temps de cuisson.

Comment s'organiser :

- La veille, tremper les haricots et préparer les poivrons rouges confits.
- Une heure avant, cuire la soupe.
- Cinq minutes avant, faire sauter les pleurotes.
- Au dernier moment, dresser.

Santé

Les légumineuses sont nourrissantes. Elles contiennent une source intéressante de protéines végétales, de fibres, de vitamines du groupe B et de minéraux.

Le menu

Haricots cocos en soupe — poivrons rouges confits et pleurotes
Filet de porc farci aux pignons — émulsion au cumin — purée de céleri-rave (page 118)
Strudel de raisins et kiwis au basilic (page 196)

FUMET DE SCAMPIS AU SAFRAN

« Un produit peut s'exprimer dans son extrême simplicité. Il faut le prendre comme il est; au pied de la lettre. Certains ont besoin de mille et un petits soins pour donner leurs particularités, cachées au plus profond d'eux-mêmes. Le scampi nécessite seulement un bon fumet et une cuisson courte. Évidemment, si ensuite vous lui ajoutez la reine des épices, il n'en dira mot. »

POUR 4 PERSONNES

Temps de préparation : 20 minutes — Temps de cuisson: 30 + 10 minutes

16 scampis

30 ml (2 c. à soupe) d'huile d'olive

60 g (1/4 de tasse) de poireau, en brunoise

120 g (1/2 tasse) de carotte et céleri, en brunoise

1 gousse d'ail, hachée

60 g (1/4 de tasse) d'oignons, hachés

15 ml (1 c. à soupe) de concentré de tomates

2 tomates, pelées, épépinées et coupées en dés

500 ml (2 tasses) de fumet de poisson

1 pincée de safran

15 ml (1 c. à soupe) de Pastis

sel et poivre du moulin

Fumet de scampis

30 ml (2 c. à soupe) d'huile d'olive

1 petite carotte, pelée et coupée en dés

1 petit oignon, émincé

250 ml (1 tasse) de vin blanc sec

250 ml (1 tasse) d'eau

1 petit bouquet garni

sel et poivre du moulin

Décortiquer les scampis. Réserver la chair et les carapaces.

Préparer le fumet de scampis: dans une casserole avec de l'huile d'olive, faire revenir les carapaces avec la carotte et l'oignon. Ajouter le vin blanc, l'eau et le bouquet garni. Assaisonner modérément. Laisser mijoter 30 minutes et passer au chinois. Réserver.

Dans une casserole avec de l'huile d'olive, faire suer la brunoise de poireau, de carotte et céleri, l'ail et l'oignon hachés. Après deux minutes, ajouter les scampis et cuire encore deux autres minutes. Retirer les scampis et garder au chaud. Ajouter le concentré de tomates et les tomates en dés, le fumet de scampis, le fumet de poisson et la pincée de safran. Laisser mijoter 10 minutes.

En fin de cuisson, ajouter le pastis.

Dans une assiette creuse, verser le fumet. Ajouter les scampis et servir bien chaud.

Conseils:

Essayez de conserver les carapaces des crustacés (homards et crabes) que vous décortiquez. Réservez-les au congélateur dans des poches de plastique hermétiques. Il sera alors facile, quand vous aurez besoin de faire un bon fumet, de les sortir. Plus vous en aurez, plus votre fumet sera concentré et goûteux.

Dans cette recette, le fumet de poisson pourrait être remplacé par la même quantité de fumet de scampis.

Saviez-vous qu'il faut en moyenne 100 000 fleurs pour obtenir 500 g (1 lb) de safran ? C'est ce qui en fait l'épice la plus coûteuse.

Comment s'organiser :

- Une heure avant, décortiquer les scampis et préparer le fumet.
- Vingt minutes avant, faire suer les légumes et cuire les scampis. Terminer de cuire la soupe.
- Au dernier moment, servir très chaud avec le Pastis et les scampis.

Santé

Les scampis sont riches en phosphore et en cuivre. Ils sont aussi riches en protéines, très digestes et, comme tous les crustacés, pauvres en lipides.

Le menu

Fumet de scampis au safran

Rognons de veau aux canneberges — courgettes gratinées — tombée d'épinards (page 130)

Abricots à l'estragon et aux dattes (page 171)

SOUPE DE CHOU-FLEUR
FENOUIL ET OLIVES AU CURCUMA

« Avec le chou-fleur, il faut aller tout droit, pas par quatre chemins, pas de longue tirade, pas de grande discussion ou d'élaboration compliquée. Bien sûr, il fera de la place au fenouil pour le mettre en valeur. Il n'est quand même pas mesquin. Une pointe de curcuma et tout s'enchaîne. Durant les longues soirées d'hiver, il vous réchauffera l'âme. »

POUR 4 PERSONNES

Temps de préparation : 20 minutes — Temps de cuisson : 20 minutes

240 g (1 tasse) de chou-fleur, en petits bouquets

45 ml (3 c. à soupe) d'huile d'olive

60 g (1/4 de tasse) d'oignons, hachés

60 g (1/4 de tasse) de poireau, émincé

500 ml (2 tasses) de bouillon de poulet

500 ml (2 tasses) de lait

120 g (1/2 tasse) de fenouil, râpé

60 g (1/4 de tasse) d'olives Kalamata, dénoyautées et coupées en morceaux

30 ml (2 c. à soupe) de vinaigre balsamique

30 g (2 c. à soupe) de graines de sésame, grillées

5 g (1 c. à thé) de curcuma

sel et poivre du moulin

Dans une casserole avec l'huile d'olive, faire revenir l'oignon haché et le poireau pendant quelques minutes. Ajouter le chou-fleur, le bouillon de poulet, le lait et le curcuma. Saler et poivrer. Cuire pendant 20 minutes.

Passer au mélangeur pour obtenir une soupe lisse. Garder au chaud.

Dans une poêle avec un filet d'huile d'olive, faire sauter le fenouil râpé avec les olives en morceaux pendant quelques minutes. Déglacer avec le vinaigre balsamique.

Verser la soupe de chou-fleur dans une assiette creuse. Disposer la tombée de fenouil — olives au milieu et parsemer de sésame grillé.

Conseils :

Le chou-fleur cuit très rapidement. Éviter une surcuisson, il aurait tendance à devenir pâteux et à perdre aussi sa saveur et sa valeur nutritive.

Le fenouil est associé à l'Italie. Avec les olives, le curcuma et le sésame grillé, je suis resté dans le bassin méditerranéen. Les subtilités dans le mélange de ces ingrédients vous surprendront.

Comment s'organiser :

- Quarante minutes avant, préparer les ingrédients.
- Trente minutes avant, cuire la soupe. Pendant ce temps, faire sauter le fenouil et les olives.
- À la dernière minute, servir en parsemant de sésame grillé.

Santé

Le chou-fleur est peu calorique. Il est une excellente source d'acide folique et de potassium. Il contient de la vitamine B6 et du cuivre.

Le fenouil est diurétique, car riche en potassium. Il contient des fibres et de la vitamine C ; on le dit bon pour calmer les rhumatismes.

Soupe de chou-fleur — fenouil et olives au curcuma

Carré de porc rôti — jus au café, salade de topinambour — oignons au four (page 106)

Brochette d'ananas et papaye sur gousse de vanille — sorbet aux fraises (page 162)

SOUPE DE CHOU-FLEUR (p. 48)

SOUPE DE COURGE GIRAUMON, HUILE DE CITROUILLE ET PIGNONS (p. 50)

VELOUTÉ D'ENDIVES AUX DEUX POMMES, GRAINES DE CARVI (p. 51)

SOUPE DE COURGE GIRAUMON
HUILE DE CITROUILLE ET PIGNONS

« Las de trop de demandes singulières, las de ces journées qui vous laissent sans énergie, il y a des moments où l'appétit n'est pas là. Nous devons le titiller, l'apprivoiser, lui donner « le goût ». Juste un peu, sans trop charger. Doucement, modérément, avec minutie. Avec un peu de chaleur comme la soupe de giraumon. »

POUR 8 PERSONNES

Temps de préparation : 20 minutes — Temps de cuisson : 30 minutes

900 g (2 lb) de courge giraumon

120 g (1/4 de tasse) de pignons

125 ml (1/2 tasse) d'huile de citrouille

240 g (1 tasse) d'oignons, hachés

250 ml (1 tasse) de vin blanc sec

1 l (4 tasses) de bouillon de poulet

petit bouquet de persil

1 l (4 tasses) de lait

sel et poivre du moulin

des pétales de fleur pour décorer (facultatif)

Peler, retirer les graines et couper en morceaux la courge.

Faire griller les pignons dans une poêle, à sec. Réserver quelques pignons pour décorer.

Dans une casserole avec de l'huile de citrouille, faire revenir les oignons hachés. Ajouter les morceaux de courge et les pignons grillés. Assaisonner et cuire quelques minutes.

Ajouter le vin blanc, le bouillon de poulet et le persil. Laisser frémir 15 minutes pour que la courge devienne moelleuse. Ajouter le lait et laisser frémir encore 15 minutes.

Passer au mélangeur à l'aide d'un bras mélangeur. Émulsionner pour rendre la soupe mousseuse.

Verser dans des assiettes à soupe et parsemer de quelques pignons grillés. Ajouter un filet d'huile de citrouille et décorer de quelques pétales de fleur.

Conseils :

La courge giraumon a une chair orangée, moelleuse et sucrée. La peau est épaisse et souvent très dure. Elle a le goût de noisette. J'accentue cette particularité, qui s'atténue à la cuisson, en l'associant aux pignons et à l'huile de citrouille. Les pignons lient le goût laiteux et corsé du giraumon par ces arômes. Si vous n'avez pas d'huile de citrouille, essayez l'huile de noix.

Comment s'organiser :

- Une heure avant, préparer et couper la courge en morceaux. Faire griller les pignons.
- Quarante-cinq minutes avant, cuire la soupe.
- Au dernier moment, répartir la soupe dans les assiettes, ajouter l'huile de citrouille et les pétales de fleur.

Santé

Les courges d'hiver cuites sont plus calorifiques que les courges d'été, car elles renferment plus de glucides. Elles sont aussi une bonne source de vitamine A et de potassium.

Soupe de courge giraumon — huile de citrouille et pignons

Risotto d'épeautre aux moules — coriandre et Migneron (page 89)

Petits fruits à la cardamome — sorbet aux fraises (page 164)

VELOUTÉ D'ENDIVES AUX DEUX POMMES
GRAINES DE CARVI

« J'aime ces aliments qui dansent. Je les devine impatients. L'endive avec sa pointe d'amertume, le carvi doté d'un arôme puissant et épicé. La pomme pour faire la paix entre les deux premiers. Je les aime, car je sais qu'ils vont donner le meilleur d'eux-mêmes. Ils ne peuvent qu'embellir. Ils ne risquent que d'améliorer ce qu'ils touchent, ce à quoi on les convie. »

POUR 4 PERSONNES

Temps de préparation : 20 minutes — Temps de cuisson : 20 minutes

4 endives, effeuillées et coupés en morceaux

2 pommes (Cortland ou Spartan) pelées, épépinées et coupées en morceaux

2 pommes de terre moyennes, pelées et coupées en morceaux

45 ml (3 c. à soupe) d'huile d'olive

60 g (1/4 de tasse) d'oignons, hachés

60 g (1/4 de tasse) de poireau, haché

500 ml (2 tasses) de bouillon de poulet

500 ml (2 tasses) de lait

5 g (1 c. à thé) de graines de carvi

sel et poivre du moulin

une julienne de feuilles d'endives pour décorer

Dans une casserole avec de l'huile d'olive, faire revenir les oignons et les poireaux hachés. Après quelques minutes, ajouter les endives, les pommes et les morceaux de pommes de terre. Verser le bouillon de poulet et le lait. Saler et poivrer.

Écraser les graines de carvi et les additionner au velouté. Laisser mijoter 20 minutes.

À l'aide d'un pied mélangeur, presser le velouté de manière à obtenir un mélange lisse et onctueux.

Verser dans les bols à soupe. Parsemer de julienne d'endives.

Conseils :

Achetez les endives denses et bien blanches sans feuilles flétries. Généralement, les petites endives sont plus savoureuses. Il n'est pas nécessaire de les laver ; il est même déconseillé de les laisser dans l'eau, car cela les rendrait plus amères.

Aussi, une fois sortie de l'obscurité où elle est cultivée, l'endive verdit sous l'action de la lumière et son amertume augmente.

On peut trouver sur le marché une variété d'endive rouge. Il s'agit d'une hybridation de l'endive blanche et du radicchio rouge. Sa saveur est plus douce que l'endive blanche. Si vous cuisez l'endive rouge, elle va se décolorer et perdre son goût caractéristique.

Comment s'organiser :

- Quarante minutes avant, préparer les ingrédients.
- Trente minutes avant, cuire la soupe.
- Au dernier moment, servir chaud dans les bols à soupe avec la julienne d'endives.

Santé

L'endive est digeste et pauvre en calories. Elle possède une forte action diurétique et favorise le transit intestinal grâce à sa teneur en fibres. Elle contient aussi de la vitamine C.

Velouté d'endives aux deux pommes — graines de carvi

Gambas et légumes grillés — sauce provençale (page 76)

Soupe glacée de chocolat amer — œufs à la neige mentholée (page 194)

GASPACHO GLACÉ DE TOMATES
PÉTONCLES MARINÉS

« Il y a des moments où je veux côtoyer le danger. Prendre des chances, prendre des risques. Devenir imprudent. Ce gaspacho glacé sous forme de granité vous conduira sur le fil du rasoir avec des pétoncles marinés. Élevez-le dans un magnifique verre à cocktail. Vous n'êtes plus un équilibriste, vous êtes devenu un magicien.»

POUR 4 PERSONNES

Temps de préparation : 30 minutes — Granité : 24 heures au congélateur

Pétoncles marinés

180 g (6 oz) de pétoncles

125 ml (1/2 tasse) de vin blanc

30 g (2 c. à soupe) d'échalotes, hachées

120 g (1/4 de tasse) de carottes, céleri, courgettes, en brunoise

5 g (1 c. à soupe) de basilic, haché

1/2 citron (le jus)

45 ml (3 c. à soupe) d'huile d'olive

sel et poivre du moulin

Granité de tomates

6 tomates, pelées et épépinées

250 ml (1 tasse) de jus de tomate

45 ml (3 c. à soupe) d'huile d'olive

une pincée de poivre de cayenne

fleur de sel

La veille : préparer le granité de tomates : peler, épépiner et couper en petits dés deux des tomates. Réserver.

Passer au mélangeur les quatre autres tomates afin d'obtenir un coulis. Ajouter le jus de tomate, l'huile d'olive, une pincée de poivre de cayenne et la fleur de sel.

Verser sur une plaque et laisser prendre au congélateur environ 24 heures. De temps en temps, gratter le mélange à l'aide d'une fourchette afin d'obtenir « des paillettes ».

Le jour même : préparer les pétoncles marinés : porter le vin blanc à ébullition avec les échalotes.

Ajouter la brunoise de légumes jusqu'à évaporation complète du liquide. Réserver au frais.

Tailler les pétoncles en très petits dés. Dans un bol, mélanger la réduction de brunoise/échalotes avec le basilic haché, le jus de citron, l'huile d'olive, les petits dés de pétoncles et de tomates. Assaisonner et bien mélanger.

Dans des verres à cocktail évasés ou un petits bols, verser le granité de tomates et répartir les dés de pétoncles marinés. Décorer avec des feuilles de basilic. Servir aussitôt.

Conseils :

Le granité de tomates pourrait très bien se servir en trou normand. Facile à faire, rafraîchissant ; le genre de plat que l'on adopte rapidement.

Le pétoncle fait partie de la famille des pectinidés, qui comprend plus de 300 espèces, toutes comestibles. L'espèce la plus connue en Europe est la coquille St-Jacques. En Amérique du Nord, le pétoncle est la plus courante.

Modifiez ce plat en marinant un poisson frais comme de la truite ou du thon au lieu des pétoncles.

Comment s'organiser :

- La veille, faire le granité de tomates.
- Une heure avant, faire la réduction de vin blanc, échalotes, brunoise et réserver au frais.
- Trente minutes avant, faire les pétoncles marinés.
- Au dernier moment, dresser.

Santé

La tomate est pauvre en calories et très intéressante en lycopide (c'est ce qui lui donne sa couleur rouge). Elle contient de la vitamine C et du potassium.

Le pétoncle est riche en vitamine B12 et en potassium.

GASPACHO GLACÉ DE TOMATES — PÉTONCLES MARINÉS (p. 52)

SOUPE DE TOMATES FROIDES — SAVEUR D'ESTRAGON, SALADE DE LAITUE ET RADIS (p. 54)

Le menu

Gaspacho glacé de tomates — pétoncles marinés
Filet de cheval à l'émulsion de jus de légumes — purée de coings et ratatouille (page 116)
Feuillantine de poires au vin rouge — compote de pommes au cassis (page 158)

SOUPE DE TOMATES FROIDES — SAVEUR D'ESTRAGON
SALADE DE LAITUE ET RADIS

« Les aliments les plus simples peuvent étonnamment nous déstabiliser, ou tout au moins nous donner des doutes. On les connaît si bien, goûteux, faciles. Prenez la tomate, le radis. Essayez de réveiller en eux ce que nous ne voyons plus : l'acide, le poivré, le soleil. »

POUR 4 PERSONNES

Temps de préparation : 20 minutes

6 tomates, pelées, épépinées et coupées en morceaux

1/2 citron (le jus)

1 branche d'estragon

sel et poivre du moulin

Salade de laitue et radis

15 ml (1 c. à soupe) de vinaigre balsamique

45 ml (3 c. à soupe) d'huile d'olive

8 feuilles de laitue, coupées en petits morceaux

12 radis, tranchés fins

2 branches d'estragon, hachées

sel et poivre du moulin

des feuilles d'estragon pour décorer

Passer au mélangeur les tomates, le jus de citron et l'estragon. Saler et poivrer. Mélanger jusqu'à obtenir une soupe homogène. Garder au réfrigérateur.

Préparer la salade : mélanger le vinaigre balsamique, le sel, le poivre puis l'huile d'olive et l'estragon haché.

Au dernier moment, incorporer les feuilles de laitue coupées et les fines tranches de radis.

Verser la soupe froide dans une assiette creuse. Déposer la salade au milieu et décorer avec les feuilles d'estragon.

Conseils :

Avec cette soupe de tomates, vous ne pouvez pas tricher. La tomate est dans sa plus simple expression. Prenez des tomates bien mûres, juteuses et goûteuses.

Choisissez des radis fermes. Le goût légèrement poivré du radis, mêlé à l'estragon, apportera une saveur soutenue à cette soupe.

Saviez-vous que les fanes des radis sont comestibles ? Dans cette recette, vous pourriez les mélanger avec les feuilles de laitue. Ça n'en sera que plus savoureux.

Comment s'organiser :

- Trente minutes avant, faire la soupe de tomates et la conserver au réfrigérateur.
- Cinq minutes avant, préparer la salade et les radis.
- Au dernier moment, faire la vinaigrette et mélanger les ingrédients. Dresser et décorer.

Santé

La tomate est une bonne source de vitamine C et de potassium. Comme l'aubergine, la tomate est un fruit assimilé à un légume, car pauvre en glucides. Si elle n'est pas débarrassée de sa peau, la tomate — assez acide — sera mal supportée par les estomacs fragiles. En revanche, cette acidité a des vertus apéritives.

Les radis sont aussi très riches en vitamine C.

Le menu

Soupe de tomates froides — saveur d'estragon — salade de laitue et radis

Homard aux épices et figues (page 78)

Crème renversée au thé — fenouil caramélisé (page 170)

SOUPE DE CAROTTES À LA MANGUE
HUILE DE SÉSAME

« Tout est dans le doux. La carotte — le poivron — la mangue. Tout est plein de couleur. On nage dans une harmonie suave. Il y a des ambiances du royaume de Siam. C'est du velours, un bien-être, une sensation agréable. Puis, à la toute fin, le parfum de noisette du sésame. Une sensualité. »

POUR 4 PERSONNES

Temps de préparation: 20 minutes

1 mangue, pelée, dénoyautée et coupée

45 ml (3 c. à soupe) d'huile de sésame

1 l (4 tasses) de jus de carottes

5 g (1 c. à thé) de gingembre frais, haché

60 g (1/4 de tasse) de poivrons vert, rouge et jaune, en brunoise

fleur de sel

sel et poivre du moulin

un filet d'huile de sésame

ciboulette hachée pour décorer

Préparer une purée de mangue : dans un mélangeur, broyer la chair de mangue avec l'huile de sésame et la fleur de sel jusqu'à l'obtention d'un mélange homogène. Réserver au réfrigérateur.

Si vous possédez un extracteur à jus, presser des carottes afin d'obtenir un litre de jus. À l'aide d'un pied mélangeur, ajouter le gingembre au jus. Saler et poivrer. Réserver au réfrigérateur.

Dans une assiette creuse, verser le jus de carottes et déposer une cuillère de purée de mangue au milieu. Parsemer avec la brunoise de poivrons. Arroser d'un filet d'huile de sésame et parsemer de ciboulette hachée.

Conseils :

Vous avez ici une soupe froide « santé » par excellence. Mélange hétéroclite à la première lecture, cette combinaison de genre vous étonnera.

Soyez parcimonieux avec le gingembre. Trop fort, il tuerait les autres saveurs. En contrepartie, l'huile de sésame, au goût caractéristique, vous donnera profondeur et velouté.

Comment s'organiser :

(C'est une soupe froide, donc, par définition, elle doit être tenue au réfrigérateur. Si bien que vous pourriez la réaliser quelques heures avant sans problème).

- Vingt minutes avant, préparer la purée de mangue et la brunoise de poivrons. Puis, poursuivre avec la soupe de carottes.
- Au dernier moment, dresser et décorer.

Santé

La couleur orangée de la carotte signale sa grande richesse en provitamine A (bétacarotène), un antioxydant naturel. Elle est aussi une excellente source de potassium et de vitamine B6.

La mangue est aussi très riche en provitamine A (bétacarotène).

Le menu

Soupe de carottes à la mangue — huile de sésame

Rouget en papillote à l'aneth (page 90)

Millefeuille de framboises — compote de tomates et pommes (page 180)

SOUPE DE CAROTTES À LA MANGUE — HUILE DE SÉSAME (p. 55)

SOUPE RAFRAÎCHIE DE TOPINAMBOURS — SORBET AUX HERBES (p. 57)

SOUPE RAFRAÎCHIE DE TOPINAMBOURS
SORBET AUX HERBES

« Il y a ces produits dont la saison est si courte que si vous ne les prenez pas tout de suite, vous ne les avez déjà plus. Quelques semaines et c'est fini. Il vous faut des invités, si je puis dire, au bon moment. Ne manquez pas le topinambour; sous son air bourru et biscornu, il a beaucoup à donner. »

POUR 4 PERSONNES

Temps de préparation : 20 minutes — Temps de cuisson : 30 minutes

900 g (2 lb) de topinambours

30 ml (2 c. à soupe) d'huile d'olive

120 g (1/2 tasse) d'oignons, hachés

250 ml (1 tasse) de vin blanc sec

250 ml (1 tasse) de bouillon de poulet

500 ml (2 tasses) de lait

30 ml (2 c. à soupe) d'huile de truffe

sel et poivre du moulin

quelques herbes fraîches pour décorer

Sorbet aux herbes

45 ml (3 c. à soupe) d'eau

30 g (2 c. à soupe) de sucre

250 g (1 tasse) de fromage blanc (à faible teneur en matière grasse — 0,5 m.g.)

30 g (2 c. à soupe) d'herbes fraîches hachées (basilic, persil, ciboulette)

Peler et couper en morceaux les topinambours.

Dans une casserole avec de l'huile d'olive, faire revenir les oignons hachés quelques minutes et ajouter les morceaux de topinambour. Verser le vin blanc ; cuire quelques minutes puis ajouter le bouillon de poulet et le lait. Saler et poivrer Laisser frémir 20 minutes.

Passer au mélangeur et émulsionner avec le bras mélangeur afin d'obtenir une soupe lisse et onctueuse.

Délayer avec du lait ou du bouillon de poulet si la soupe vous semble trop épaisse. Laisser refroidir et conserver au réfrigérateur.

Préparer le sorbet aux herbes : mettre le sucre et l'eau dans une casserole ; cuire quelques minutes afin d'obtenir un sirop. Laisser refroidir.

Dans un bol, mélanger le sirop obtenu, le fromage blanc et les herbes hachées. Verser dans une sorbetière et laisser prendre. Conserver au congélateur.

Au moment de servir, verser la soupe froide dans une assiette creuse. Former une ou deux quenelles de sorbet aux herbes et déposer au milieu. Verser un filet d'huile de truffe sur l'ensemble.

Décorer avec quelques herbes fraîches. Servir aussitôt

Conseils :

Le topinambour apporte une touche rafraîchissante, surtout lorsque servi froid comme dans cette soupe. Sa saveur délicate, qui rappelle l'artichaut, mérite que l'on s'y arrête.

J'ai voulu ajouter une autre touche de frais avec le sorbet aux herbes. On trouve maintenant des sorbetières domestiques performantes au magasin.

Comment s'organiser :

- Deux heures avant, faire le sorbet et le conserver au congélateur.
- Une heure trente avant, préparer les ingrédients de la soupe et cuire la soupe. Après la cuisson, passer au mélangeur et conserver au réfrigérateur.
- Au dernier moment, verser la soupe froide dans l'assiette et former des quenelles de sorbet. Décorer et servir aussitôt.

Santé

Le topinambour est une excellente source de potassium, de fer et de thiamine. Il contient entre autres du cuivre et du magnésium. On le dit désinfectant, énergétique et énergisant.

Soupe rafraîchie de topinambours — sorbet aux herbes

Filet de sole aux scampis — jus d'agrumes — asperges vertes au vieux cheddar (page 72)

Prunes aux pistils de safran sous croûte dorée (page 188)

VELOUTÉ DE LENTILLES FROID MENTHOLÉ
AUX ESCARGOTS

« Chaque chaud a un chaud. Chaque froid a un froid. Je m'explique : un foie gras servi trop froid ne livrera pas toutes ses subtilités. Trop longtemps à la température de la pièce, il vous envahira la bouche pour ne plus vous lâcher durant le repas. Une assiette bouillante continuera à cuire un poisson à point ou un canard rosé. La sauce se séparera. Et puis, il y a le froid du velouté de lentilles et le chaud de l'escargot ensemble dans la même assiette. »

POUR 4 PERSONNES

Temps de préparation : 20 minutes — Temps de cuisson : 30 minutes

45 ml (3 c. à soupe) d'huile d'olive

90 g (1/3 de tasse) de carottes, en morceaux

60 g (1/4 de tasse) d'oignons, émincés

60 g (1/4 de tasse) de poireau, émincé

180 g (3/4 de tasse) de lentilles vertes

1 l (4 tasses) de bouillon de poulet

3 branches de menthe

sel et poivre du moulin

quelques feuilles de menthe pour décorer

Sauté d'escargots

20 escargots

1 filet d'huile d'olive

30 g (2 c. à soupe) d'échalotes, hachées

5 g (1 c. à thé) d'ail, haché

5 g (1 c. à thé) de persil, haché

sel et poivre du moulin

Dans une casserole avec de l'huile d'olive, faire suer les carottes, l'oignon et le poireau pendant quelques minutes. Ajouter les lentilles et le bouillon de poulet. Saler, poivrer et laisser mijoter pendant 30 à 40 minutes à feu doux.

Retirer du feu, ajouter les feuilles de menthe et laisser infuser pendant 5 minutes.

Enlever les feuilles de menthe et passer au mélangeur afin d'obtenir un velouté lisse. Réserver au réfrigérateur

Préparer le sauté d'escargots : dans une casserole avec un filet d'huile d'olive, faire revenir l'échalote hachée. Ajouter les escargots, l'ail et le persil haché. Saler et poivrer. Réserver au chaud.

Verser le velouté dans une assiette creuse. Disposer les escargots au milieu et décorer avec les feuilles de menthe.

Conseils :

Le velouté doit avoir une consistance relativement liquide. Ajouter de l'eau si la consistance vous semble un peu épaisse.

Quant au goût de la menthe, il doit être présent mais ne doit pas masquer la saveur du velouté et des escargots.

Les escargots disponibles en Amérique du Nord ont la chair plus ou moins ferme et délicate selon leur provenance et leur espèce.

Comment s'organiser :

- Une heure avant, préparer le velouté de lentilles. Lorsque le velouté est cuit, infuser la menthe, passer au mélangeur et conserver au réfrigérateur.
- Cinq minutes avant, faire sauter les escargots.
- Au dernier moment, dresser le velouté froid avec les escargots chauds.

Santé

Excellente source d'acide folique et de potassium, les lentilles sont riches en protéines, en fibres et en fer. Pauvres en calories, elles peuvent faire le bonheur des régimes amaigrissants. Contrairement aux autres légumes secs (pois chiches, pois cassés, etc.), les lentilles sont particulièrement digestes.

Velouté de lentilles froid mentholé aux escargots

Suprême de faisan à la vinaigrette de jeunes légumes (page 134)

Pêches et bananes rôties en feuille de bananier (page 184)

les poissons et crustacés

BAR POÊLÉ BARDÉ DE THYM
ET LENTILLES

« Comme Esaü, je vendrais mon droit d'aînesse pour un plat de lentilles. Vous savez rarement pourquoi un aliment peut vous amener si loin. Vous l'aimez, c'est tout. Peu importe comment et avec quoi, vous le transformez. Il reste le meilleur. Un peu comme vos enfants : vous avez l'impression qu'ils font partie de vous. Les lentilles ont-elles une âme? »

POUR 4 PERSONNES

Temps de préparation : 25 minutes — Temps de cuisson pour les lentilles : 30 minutes — Temps de cuisson pour le bar : 8 minutes

4 filets de bar de 120 g (4 oz) chacun

8 branches de thym

30 ml (2 c. à soupe) d'huile d'olive

sel et poivre du moulin

Sauce

125 ml (1/2 tasse) de vin blanc sec

30 g (2 c. à soupe) d'échalotes, hachées

45 ml (3 c. à soupe) d'huile d'olive

15 ml (1 c. à soupe) d'huile de noix

1/2 citron (le jus)

sel et poivre du moulin

Pour les lentilles

300 g (1 1/4 tasse) de lentilles

1 petite carotte, émincée

1 petit oignon, émincé

2 gousses d'ail, émincées

2 tomates, pelées, épépinées et coupées en dés

30 ml (2 c. à soupe) d'huile d'olive

1 petit bouquet garni

2 branches de thym

sel et poivre du moulin

Cuire les lentilles : Dans une casserole, faire suer pendant 5 minutes la carotte, l'oignon et l'ail avec un peu d'huile d'olive. Ajouter les lentilles. Couvrir avec de l'eau froide. Ajouter le bouquet garni, porter à ébullition et couvrir. Laisser mijoter pendant 25 à 30 minutes. Ajouter de l'eau en cours de cuisson si nécessaire. En fin de cuisson, ajouter les tomates et effeuiller deux branches de thym. Saler et poivrer.

Préparer la sauce en réduisant à sec le vin blanc et l'échalote. Laisser tiédir et ajouter alors tous les autres ingrédients. Bien mélanger et garder tiède.

Préparer les filets de bar en glissant légèrement la lame d'un couteau sous la peau du poisson de façon à pratiquer une entaille et pour y glisser deux branches de thym. Saler et poivrer. Arroser d'un peu d'huile et cuire dans une poêle, côté peau en premier, environ 2 à 3 minutes sur chaque côté, selon l'épaisseur.

Dresser en déposant les lentilles au fond des assiettes. Y placer ensuite le bar et verser la sauce sur le poisson.

Conseils :

J'ai toujours eu un faible pour un poisson servi avec des lentilles. Le bar — que l'on appelle aussi « loup », présente une chair blanche et ferme qui est bien choisie pour cette légumineuse. Vous l'apprécierez d'autant plus qu'il ne contient pas beaucoup d'arêtes.

Il n'est pas nécessaire de faire tremper les lentilles. Les laver avec soin, car elles peuvent exceptionnellement contenir de petits cailloux.

Comment s'organiser :

- Une heure avant, cuire les lentilles. Pendant la cuisson, faire la sauce et préparer les filets de bar.
- Au dernier moment, cuire le bar en considérant 4 à 6 minutes de cuisson. Dresser aussitôt.

Santé

Le bar est un poisson de mer riche en protéines et particulièrement pauvre en matières grasses. Les lentilles sont riches en protéines mais aussi en fibres, en fer, en potassium et en zinc. Pauvres en calories et, contrairement aux autres légumes secs (pois chiches, pois cassés, etc.), les lentilles sont particulièrement digestes.

Le menu

Fromage de chèvre frais au canard fumé (page 144)
Bar poêlé bardé de thym et lentilles
Fraises au vin rouge épicé (page 176)

BROCHETTE DE PÉTONCLES – COULIS D'ÉPINARDS
LINGUINI À L'ENCRE DE CALMAR

« Mettre un produit noble dans une situation délicate peut être périlleux. Le pétoncle, l'épinard et le linguini à l'encre de calmar réunis, voilà une possibilité de se « casser le nez ». Les saveurs, les textures s'écartent, puis se rallient. Et, en une bouchée, il se passe quelque chose. Vous traversez le produit : un moelleux, une touche plus sucrée, un vert tendre, un noir entortillé et le nacré du crustacé. Périlleux ? »

POUR 4 PERSONNES

Temps de préparation : 20 minutes

24 pétoncles
1 petite courgette
12 pointes d'asperges
8 lamelles de tomates séchées
120 g (4 oz) de linguini à l'encre de calmar
30 ml (2 c. à soupe) d'huile d'olive
sel et poivre du moulin

Coulis d'épinards

300 g (10 oz) d'épinards
1 poire
sel et poivre du moulin

Couper huit rondelles de courgette de 1 cm (1/2 po) d'épaisseur. Les blanchir quelques minutes dans l'eau bouillante salée avec les pointes d'asperges.

Embrocher les noix de pétoncles sur huit brochettes en bambou (3 pétoncles par brochette) en les intercalant avec les tomates séchées, les rondelles de courgettes et les pointes d'asperges. Réserver.

Préparer le coulis : équeuter et laver les épinards. Les faire tomber dans une poêle. Peler, épépiner et faire pocher la poire quelques minutes dans de l'eau bouillante. Passer les épinards et la poire au mélangeur. Assaisonner. Si vous trouvez le coulis trop épais, liquéfier avec un peu de lait.

Cuire les linguini dans un grand volume d'eau bouillante salée. Égoutter. Assaisonner et y verser un filet d'huile. Garder au chaud.

Cuire rapidement, à feu vif, les brochettes de pétoncles dans une poêle avec un filet d'huile. Saler et poivrer.

Verser le coulis au fond des assiettes. Déposer ensuite les linguini, puis les brochettes.

Conseils :

Beaucoup de saveurs dans ce plat ; mais elles sont toutes dans les mêmes nuances, les mêmes palettes de goût. Notons seulement la douceur de la poire avec le coulis d'épinards.

Maintenant, on peut trouver des linguini ou d'autres pâtes à l'encre de calmar dans la plupart des épiceries fines et souvent même à l'état « frais ».

Comment s'organiser :

- Une heure avant, préparer les légumes et monter les brochettes. Préparer aussi la sauce.
- Trente minutes avant, cuire les linguini.
- Au dernier moment, cuire les brochettes de pétoncles et terminer le plat.

Santé

Les pétoncles sont riches en protéines et pauvres en lipides. Très digestes, elles contiennent aussi du zinc.

Les épinards contiennent des minéraux comme le potassium, le magnésium ou le calcium.

Quant aux linguini, ils sont riches en glucides complexes. Pour éviter qu'elles ne deviennent des sucres d'absorption rapide, les pâtes doivent être cuites «al dente».

Le menu

Soupe de tomates froides — saveur d'estragon —salade laitue et radis (page 54)
Brochette de pétoncles — coulis d'épinards — linguini à l'encre de calmar
Risotto au lait et à la papaye — tombée de fruits secs (page 193)

ESCALOPES DE FLÉTAN
GOURGANES À LA CORIANDRE FRAÎCHE — COULIS DE CRESSON ET OSEILLE

« Il y a des goûts qui m'inspirent. D'ailleurs, ça commence toujours comme ça. Le goût et l'odeur aussi. Seulement après, vient le montage de l'assiette. L'aspect esthétique peut aussi nous émouvoir. Mais que serait un plat magnifique dépourvu de goût, insipide ? Demandez-le aux gourganes sans coriandre, au cresson sans oseille, au flétan sans fraîcheur. »

POUR 4 PERSONNES

Temps de préparation : 30 minutes

1 filet de flétan de 454 g (16 oz), coupé en huit escalopes de 6 mm (1/4 de pouce) d'épaisseur

120 g (1/2 tasse) de gourganes

30 ml (2 c. à soupe) d'huile d'olive

5 g (1 c. à thé) de coriandre fraîche, hachée

sel et poivre du moulin

des feuilles de coriandre pour décorer

Coulis de cresson et oseille

120 g (1/2 tasse) de cresson

120 g (1/2 tasse) d'oseille

30 g (2 c. à soupe) d'échalotes, hachées

120 g (1/2 tasse) de fromage blanc à 0 % M.G.

Retirer la peau des gourganes en les plongeant dans l'eau bouillante quelques minutes. Égoutter et rafraîchir sous l'eau froide. Les peler et les faire tremper 8 à 12 heures. Puis, cuire les gourganes dans l'eau bouillante salée pendant environ 45 minutes.

Préparer le coulis : laver et équeuter le cresson et l'oseille. Bien essorer. Chauffer une casserole et faire tomber le cresson et l'oseille avec les échalotes jusqu'à une complète évaporation de l'eau de végétation. À l'aide d'un pied mélangeur, transformer le tout en purée. Ajouter le fromage blanc. Si le coulis vous semble un peu épais, ajouter du lait. Garder au chaud. Ne pas faire bouillir; la sauce se séparerait.

À la dernière minute, faire sauter les gourganes dans une poêle avec un filet d'huile d'olive et la coriandre. Saler et poivrer.

Préparer le flétan : faire chauffer une poêle anti-adhésive avec un filet d'huile d'olive. Y déposer les escalopes et saisir une vingtaine de secondes de chaque côté. Assaisonner.

Pour dresser, verser le coulis de cresson et d'oseille dans les assiettes. Y déposer les escalopes de flétan et disperser les gourganes autour. Décorer avec des feuilles de coriandre fraîches.

Conseils :

Le flétan — le plus grand des poissons plats — est préféré ici pour sa chair fine, ferme, floconneuse et surtout sans trop d'arêtes.

La saveur piquante et acidulée de l'oseille se marie bien avec le cresson qui a un goût un peu poivré et âcre.

Je conseille toujours de retirer la peau épaisse de la gourgane. Dure, la peau laisse un goût amer, peu intéressant.

Comment s'organiser :

- La veille, faire tremper les gourganes.
- Une heure avant, faire cuire les gourganes et préparer la sauce.
- Au dernier moment, faire sauter les gourganes et cuire les escalopes de flétan.
- Dresser aussitôt.

Santé

La chair du flétan est maigre. Le cresson est un légume vert, riche en minéraux, vitamines et antioxydants. L'oseille est une excellente source de vitamine A, de magnésium et de potassium.

Le menu

Soupe de courge giraumon — huile de citrouille et pignons (page 50)
Escalopes de flétan, gourganes à la coriandre fraîche — coulis de cresson et oseille
Pommes au four, miel et noix (page 186)

ESCALOPES DE SAUMON AU VINAIGRE BALSAMIQUE
CARAMÉLISÉ AU SIROP D'ÉRABLE — POMMES RATTE RISSOLÉES

« L'un était roi de Modène. L'autre était roi du Québec. Ce vinaigre possède le goût noble des produits longuement vieillis. Le sirop, lui, a cette cote d'amour… et le foncé. Ici je propose l'ambivalence entre l'acide et le doux, le fluide et le sirupeux. L'alliance de ces deux rois est remplie d'éternité. ».

POUR 4 PERSONNES

Temps de préparation : 20 minutes — Temps de cuisson : 15 minutes

454 g (16 oz) de filet de saumon, coupé en 8 escalopes de 6 mm (1/4 de po) d'épaisseur

300 g (10 oz) d'épinards, lavés et équeutés

30 g (2 c. à soupe) d'échalotes, hachées

30 ml (2 c. à soupe) d'huile d'olive

240 g (1/2 lb) de pommes de terre ratte

de la fleur de sel et du poivre concassé

Vinaigre balsamique caramélisé

125 ml (1/2 tasse) de vinaigre balsamique

60 ml (1/4 de tasse) de sirop d'érable

45 ml (3 c. à soupe) d'huile d'olive

Préparer le vinaigre balsamique caramélisé : réduire à feu doux le vinaigre et le sirop d'érable jusqu'à l'obtention d'un sirop épais. Retirer du feu et ajouter l'huile d'olive. Réserver.

Cuire les pommes de terre ratte. Dans un premier temps, les plonger dans de l'eau bouillante salée pendant environ 10 minutes. Rafraîchir. Couper les pommes de terre en deux sur le sens de la longueur. Terminer la cuisson dans une poêle avec un filet d'huile. Bien rissoler.

Faire tomber les épinards dans une poêle en faisant d'abord suer les échalotes avec de l'huile d'olive. La cuisson doit être rapide.

Préparer le saumon : faire chauffer un filet d'huile d'olive dans une poêle antiadhésive. Y déposer les escalopes et faire saisir une vingtaine de secondes de chaque côté.

Pour dresser, déposer les épinards au fond de chacune des assiettes. Ajouter les escalopes de saumon et répartir les pommes de terre ratte autour. Verser ensuite le vinaigre balsamique caramélisé sur le poisson. Assaisonner de fleur de sel et de poivre concassé.

Conseils :

La cuisson rapide des escalopes de saumon est importante. Faire cette cuisson seulement à la dernière minute et essayez de conserver un peu de « cru » au milieu de votre saumon. Ce n'en sera que meilleur.

Le mélange de l'acide et du sucré à travers le vinaigre balsamique et le sirop d'érable peut sembler étonnant, mais, vous le verrez, délicieux.

La pomme de terre ratte, c'est la reine de la pomme de terre; pour son goût, sa texture et pour sa finesse. Comme elle n'est pas toujours disponible sur le marché, rabattez-vous alors sur les petites pommes de terre nouvelles.

Comment s'organiser :

- Une heure avant, préparer le vinaigre balsamique caramélisé au sirop d'érable et cuire dans l'eau les pommes de terre ratte.
- Trente minutes avant, rissoler les pommes de terre et faire tomber les épinards.
- Au dernier moment, cuire les escalopes de saumon et dresser aussitôt.

Santé

Poisson de mer ou de rivière le saumon est un poisson gras. Il contient des acides gras polyinsaturés de la série des Oméga 3 et Oméga 6, très bénéfiques au système cardio-vasculaire.

À quantité égale, le sirop d'érable contient moins de calories et renferme plus de minéraux que le miel.

Flan de légumes – purée de petits pois (page 26)

Escalopes de saumon au vinaigre balsamique caramélisé au sirop d'érable – pommes ratte rissolées

Strudel de raisins et kiwis au basilic (page 196)

FEUILLETÉ LÉGER DE DORÉ
À LA PURÉE D'OLIVES

« Elle a plusieurs couleurs. Elle naîtra d'un vert tendre et, adulte, sera revêtue de noir. Depuis les temps bibliques — privilégiée d'une longévité exceptionnelle – son histoire est liée au flot de la Méditerranée. Elle est aussi devenue une star, vierge ou non. Son nectar est succulent et ses propriétés le sont tout autant. L'olive. »

POUR 4 PERSONNES

Temps de préparation : 25 minutes — Temps de cuisson : 8 minutes

4 filets de doré de 120 g (4 oz) chacun

4 feuilles de pâte filo

30 g (2 c. à soupe) de beurre clarifié

4 portions de salade mesclun

sel et poivre du moulin

Purée d'olives

120 g (1/2 tasse) d'olives noires, dénoyautées

5 g (1 c. à thé) de basilic frais

2 filets d'anchois

30 g (2 c. à soupe) de tomates séchées

2 gousses d'ail

30 ml (2 c. à soupe) d'huile d'olive

poivre du moulin

Vinaigrette à l'ail

45 ml (3 c. à soupe) d'huile d'olive

3 gousses d'ail hachées

1/2 citron (le jus)

5 g (1 c. à thé) de persil, haché

sel et poivre du moulin

Préparer la purée d'olives : mélanger tous les ingrédients au mélangeur. Ne pas saler.

Faire la vinaigrette en mélangeant tous les ingrédients.

Étendre la purée d'olives sur chacun des filets de doré. Plier les feuilles de pâte filo en deux et les badigeonner de beurre clarifié. Y déposer les filets de doré et replier la pâte. Déposer sur une plaque. Enfourner à 180° F (350° C) pendant 7 à 8 minutes.

Déposer un filet de doré dans chaque assiette. Harmoniser la salade mesclun à côté et y verser la vinaigrette à l'ail.

Conseils :

Le doré, que l'on appelle sandre en Europe, habite les eaux fraîches des lacs et des grandes rivières. Sa chair blanche et maigre est ferme, délicate et savoureuse. Son prix raisonnable et sa commercialisation à l'état frais font du doré un poisson intéressant à utiliser.

Dans cette recette, vous pourriez remplacer le doré par un autre poisson blanc comme le turbot, la sole ou le flétan.

Comment s'organiser :

- Une heure avant, faire la purée d'olives et la vinaigrette.
- Trente minutes avant, préparer les filets de doré dans la pâte filo.
- Au dernier moment, enfourner en considérant 7 à 8 minutes pour la cuisson. Dresser aussitôt.

Santé

Le doré est particulièrement pauvre en lipides, riche en phosphore et en potassium. Les olives, elles, sont riches en acides gras mono et poly-insaturés. On dit de l'olive qu'elle facilite le transit intestinal et, consommée à jeun, qu'elle lutte contre la constipation.

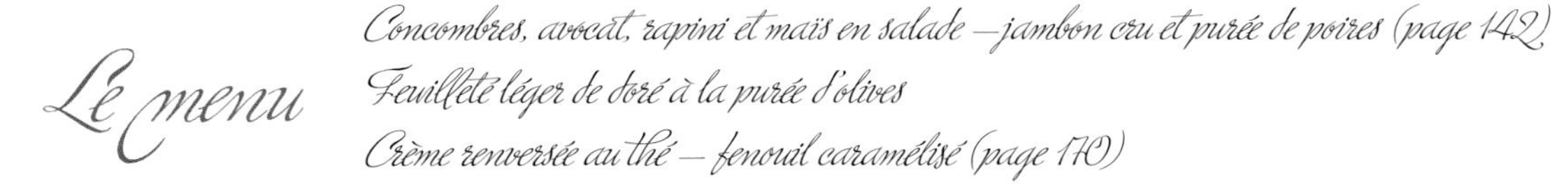

FILETS DE SOLE AUX SCAMPIS
JUS D'AGRUMES — ASPERGES VERTES AU VIEUX CHEDDAR

« Il était le seul avant. Avant que ces collègues — par centaines — viennent pousser comme des champignons autour de lui. Il était le seul en blanc, en jaune ou marbré. Les autres étaient croûtés, coulants, lavés, brossés, tournés et retournés. Alors lui, le cheddar, a décidé de se réincarner. Il s'est mis à vieillir. La sagesse est apparue ».

POUR 4 PERSONNES

Temps de préparation : 30 minutes — Temps de cuisson : 10 minutes

12 petits filets de sole

12 scampis, décortiqués

15 ml (1 c. à soupe) d'huile d'olive

12 feuilles de poireau, blanchies

Jus d'agrumes

250 ml (1 tasse) de fumet de poisson (voir page 13)

2 oranges (le jus)

1 citron (le jus)

1 pamplemousse (le jus)

45 ml (3 c. à soupe) d'huile d'olive

sel et poivre du moulin

Asperges vertes au vieux cheddar

454 g (1 lb) d'asperges vertes

60 g (1/4 de tasse) de vieux cheddar, râpé

15 ml (1 c. à soupe) d'huile d'olive

sel et poivre du moulin

Enrouler chaque filet de sole avec un scampi et une feuille de poireau blanchie et fixer le tout avec une pique en bois. Réserver au frais.

Préparer le jus d'agrumes : réduire sur un feu vif le fumet de poisson et les jus afin d'obtenir 3/4 de tasse de liquide. Émulsionner avec l'huile d'olive à l'aide d'un pied mélangeur. Vérifier l'assaisonnement. Réserver au chaud.

Préparer les asperges en coupant les extrémités. Cuire à l'eau bouillante salée. Les conserver croquantes. Rafraîchir à l'eau glacée. Tailler les pointes d'une longueur d'environ 5 cm (2 po). Couper le reste de l'asperge en rondelles. Poêler le tout avec un peu d'huile d'olive jusqu'à une légère coloration. Assaisonner. Retirer les pointes et conserver au chaud. Ajouter le cheddar de manière à lier les rondelles d'asperges. Réserver.

Cuire les filets de sole dans une poêle avec un filet d'huile d'olive. Laisser colorer. Assaisonner et terminer la cuisson au four pendant 5 minutes à 180° C (350° F).

Dresser en déposant les rondelles d'asperges liées au cheddar au milieu de l'assiette. Y placer ensuite les pointes d'asperges, puis les filets de sole. Terminer en versant le jus d'agrumes sur le poisson.

Conseils :

Pour la sauce au jus d'agrumes, vous pouvez remplacer le fumet de poisson par un vin blanc sec. N'attendez pas alors de retrouver les mêmes saveurs.

Le filet de sole pourrait être remplacé par un autre poisson blanc comme le turbot ou la dorade. Quant au scampi, on pourrait lui substituer une grosse crevette.

J'aime le vieux cheddar – et nous n'en manquons pas au Québec. En liaison avec les asperges, le contraste des saveurs avec le jus d'agrumes peut vous sembler incongru, mais je le trouve intéressant.

Comment s'organiser :

- Une heure avant, enrouler les filets de sole avec les scampis et les feuilles de poireau.
- Préparer ensuite le jus d'agrumes et les asperges vertes avec le vieux cheddar.
- Dix minutes avant de servir, cuire les enroulés de filets de sole. Dresser et servir aussitôt.

Santé

La sole — particulièrement pauvre en lipides — est un poisson très maigre, riche en protéines, en fer et en phosphore.

Le scampi est aussi pauvre en lipides et riche en protéines.

Quant aux jus d'agrumes, ils sont très riches en vitamine C.

Le menu

Galette à la persillade de champignons — jambon cru *(page 28)*

Filets de sole aux scampis — jus d'agrumes — asperges vertes au vieux cheddar

Tartare de papaye aux graines d'anis — coulis de mûres *(page 198)*

FILET DE VIVANEAU RÔTI — POIVRON DOUX
SAUCE AU VIN ROUGE

« Du vin rouge avec du poisson ? Ah bon. Ne m'a-t-on pas appris que le poisson se marie avec le vin blanc et la viande avec le vin rouge ? Oui et non vous diront les sommeliers. Mais, dans la sauce, laissez-le mijoter avec les arêtes ; il vous donnera ses élans, sa douceur, ses particularités, son esprit. Non ! Le vin rouge n'est pas pernicieux. »

POUR 4 PERSONNES

Temps de préparation : 25 minutes — Temps de cuisson de la sauce : 45 minutes

4 filets de vivaneau de 120 g (4 oz) chacun

120 g (1/2 tasse) de julienne de poivrons vert, rouge et jaune

30 ml (2 c. à soupe) d'huile d'olive

sel et poivre du moulin

de la fleur de sel et du poivre concassé

Sauce au vin rouge

1 tomate, coupée grossièrement

1 petite carotte, pelée et coupée

1 petit oignon, pelé et coupé

1 gousse d'ail, pelée

1 kg (2 lb, 2 oz) d'arêtes concassées

15 ml (1 c. à soupe) de farine

1 bouteille de vin rouge corsé

1 petit bouquet garni

2 branches de thym

sel et quelques grains de poivre concassé

Préparer la sauce : dans une casserole avec un filet d'huile, faire suer la garniture aromatique : tomate, carotte, oignon et ail avec les arêtes pendant 5 minutes à feu vif. Ajouter la farine, le bouquet garni, le thym et le poivre concassé. Verser le vin rouge et saler légèrement. Faire réduire à feu moyen pendant environ 45 minutes jusqu'à obtenir environ une tasse de sauce. Passer au chinois et réserver.

Dans une poêle antiadhésive avec un filet d'huile d'olive, faire sauter rapidement la julienne de poivrons. La garder croquante. Assaisonner.

Cuire les filets de vivaneau dans une poêle antiadhésive avec un filet d'huile d'olive pendant 2 à 3 minutes de chaque côté.

Dresser en déposant la julienne de poivrons au fond de chaque assiette. Puis, le filet de poisson. Parsemer de fleur de sel et de poivre concassé. Un cordon de sauce terminera l'assiette.

Conseils :

Le vivaneau est un poisson tropical des Antilles et d'Afrique, proche de la dorade. Sa chair est fine et ferme.

La cuisson permet l'évaporation de l'alcool contenu dans le vin, tout en conservant les qualités aromatiques. De préférence, utilisez des vins de table corsés ; les grands crus ne sont pas nécessaires, voire inutiles.

La cuisson rend les poivrons plus sucrés. Éviter de trop les cuire, cela entraînerait une couleur fade et une perte de saveur. Choisissez les poivrons fermes, luisants, lisses et charnus.

Comment s'organiser :

- Une heure avant, préparer la sauce au vin rouge et, pendant la cuisson, couper les poivrons et les faire sauter.
- Au dernier moment, cuire le poisson en prévoyant 5 à 6 minutes.
- Dresser et servir aussitôt.

Santé

Des études ont montré l'effet positif du vin rouge, riche en tanin, dans la prévention des maladies cardio-vasculaires. Il a été établi qu'une consommation quotidienne et modéré de 20 cl (4/5 de tasse) chez les femmes et 40 cl (1 1/4 tasse) chez les hommes a un rôle bénéfique.

Le vivaneau est un poisson maigre. Quant au poivron, il contient de la vitamine A et plus de vitamine C qu'une orange de même poids. Qu'il soit cru ou cuit, sa valeur nutritive est semblable.

Le menu

Carpaccio de légumes à l'estragon (page 25)
Filet de vivaneau rôti — poivron doux — sauce au vin rouge
Chips de pommes en écailles — sorbet de bleuets et coulis de pommes (page 166)

GAMBAS ET LÉGUMES GRILLÉS
SAUCE PROVENÇALE

« Pour mieux rester avec le vent chaud qui vous caresse comme les ailes d'un ange. Pour mieux rester avec le soleil, pour son ombre au moment du pastis. Pour mieux rester avec les plages d'eau turquoise au moment du barbecue. J'ai rassemblé les gambas et les légumes sur le gril pour mieux les consommer. »

POUR 4 PERSONNES

Temps de préparation : 20 minutes — Temps de cuisson : 15 minutes

12 gambas

45 ml (3 c. à soupe) d'huile d'olive

1/2 citron (le jus)

Sauce provençale

2 tomates, pelées, épépinées et coupées en dés

1 gousse d'ail, hachée

5 g (1 c. à thé) d'origan, haché

5 g (1 c. à thé) d'estragon, haché

5 g (1 c. à thé) de basilic, haché

8 graines de coriandre, séchées et concassées

45 ml (3 c. à soupe) d'huile d'olive

sel et poivre du moulin

Légumes grillés

8 asperges vertes, blanchies

1 petite aubergine, coupée sur la longueur

4 oignons verts

1 petite courgette, coupée sur la longueur

8 tomates cerises

Préparer la sauce provençale : mettre à tiédir tous les ingrédients dans un bol.

Passer sous le gril du four tous les légumes en les badigeonnant préalablement avec de l'huile d'olive. Saler, poivrer et réserver.

Badigeonner les gambas d'huile d'olive et les griller 2 minutes de chaque côté. Assaisonner et verser le jus de citron sur les gambas. Les placer ensuite sur une plaque et enfourner 3 à 4 minutes dans un four préchauffé à 180° C (350° F). Récupérer le jus laissé sur la plaque. Presser aussi les têtes des gambas afin de récupérer le jus. Mettre le liquide obtenu dans la sauce provençale.

Déposer harmonieusement les gambas et les légumes grillés dans une assiette. Arroser avec la sauce.

Conseils :

Gambas est un nom espagnol qui veut dire « grosse crevette ». On la retrouve dans les eaux profondes de la Méditerranée et de l'Atlantique.

Griller les aliments permet de bien préserver les nutriments et les saveurs. De plus, ce genre de cuisson nécessite peu de matières grasses.

Conservez toujours les carapaces des crustacés ; elles vous feront d'excellentes sauces.

Comment s'organiser :

- Trente minutes avant, préparer la sauce provençale.
- Griller ensuite les légumes.
- Au dernier moment, griller les gambas et servir aussitôt.

Santé

Les crevettes sont une bonne source de protéines. Elles sont aussi maigres et digestes. Elles apportent des vitamines B3 et B12 qui agissent sur le métabolisme cellulaire et nerveux. Les crevettes contiennent aussi du cholestérol, mais ce dernier est surtout concentré dans la tête.

L'œuf cassé sur un sauté de champignons (page 37)
Gambas et légumes grillés — sauce provençale
Mangue et chocolat — sauce à l'avocat (page 179)

HOMARDS AUX ÉPICES ET FIGUES

« J'ai eu ce souvenir du figuier dans le jardin de ma mère. Puis, ces homards, au marché du port. Il y a parfois des compositions que rien ne semble joindre l'une à l'autre; c'en est presque bizarre. Et on pense au sucré de la figue, on ajoute des épices. Alors, tout commence à tourner — le homard arrive — c'est une ronde, elle s'élève, elle gronde, elle envahit votre palais. »

POUR 4 PERSONNES

Temps de préparation : 40 minutes — Temps de préparation pour la sauce : 40 minutes

4 homards d'environ 600 g (1 lb 5 oz)
8 figues séchées
huile d'olive

Sauce aux épices

2 tomates
1 branche de céleri
1 oignon
1 carotte
2 gousses d'ail
250 ml (1 tasse) de vin blanc
500 ml (2 tasses) de fumet de poisson
250 ml (1 tasse) de lait de coco
du thym et du laurier
15 g (1 c. à soupe) de curry en poudre
15 g (1 c. à soupe) de curcuma en poudre
sel et poivre du moulin

Plonger les homards dans de l'eau bouillante salée pendant 5 minutes. Rafraîchir et égoutter. Décortiquer, conserver la chair et concasser les carapaces.

Préparer la sauce : couper les tomates, céleri, oignon et carotte en morceaux. Écraser les gousses d'ail.

Dans une casserole, faire chauffer l'huile d'olive et saisir les carapaces pendant quelques minutes. Ajouter la garniture, puis le thym et le laurier. Saupoudrer avec le curry et le curcuma. Saler et poivrer. Laisser compoter encore quelques minutes. Ajouter ensuite le vin blanc, le fumet de poisson et le lait de coco. Laisser réduire de moitié durant environ 30 à 40 minutes. Passer au chinois en pressant bien.

Plonger les figues dans la sauce et les laisser gonfler à feu doux. Couper le dessus de la figue et la retourner sur elle-même pour former une boule.

Terminer la cuisson du homard en chauffant une casserole avec de l'huile d'olive. Y déposer les tronçons de homard et les pinces. Cuire 3 minutes sans cesser de les arroser avec l'huile de cuisson.

Dresser en disposant les figues dans une assiette creuse. Déposer ensuite les morceaux de homard et napper de sauce.

Conseils :

À l'achat d'un homard, s'assurer qu'il est bien en vie. Il suffit de le soulever par le haut du corps; il va alors se replier.

Conserver le corail à l'intérieur de la carapace; il apportera du goût à votre sauce.

Recommandation pour tous les crustacés : ne pas trop cuire. La chair du homard deviendrait caoutchouteuse.

Qu'elles soient noires, vertes ou violettes, choisissez des figues molles et dodues dont la queue est encore ferme.

Comment s'organiser :

- Deux heures avant, précuire les homards.
- Une heure trente avant, préparer la sauce.
- Trente minutes avant, cuire les figues.
- Au dernier moment, terminer la cuisson du homard et dresser.

Santé

Le homard est riche en potassium et en zinc. La queue contient plus d'éléments nutritifs que les pinces. La figue fraîche est riche en potassium et en fibres, ce qui lui confère des vertus diurétiques et laxatives. C'est aussi un fruit très riche en sucre, à déconseiller aux diabétiques.

Le menu

Salade grecque – chips d'ail (page 152)
Homards aux épices et figues
Feuilles amandines – lait glacé au café (page 172)

ENROULÉ DE TILAPIA AUX COURGETTES
FARCI À LA TOMATE SÉCHÉE

« Essayez; seulement une fois. Soyez au bon moment lorsqu'elles seront mûres et juteuses. Faites preuve de délicatesse pour retirer les pépins. Utilisez avec justesse la fleur de sel. Usez de patience : laissez-les reposer dehors, lors des journées chaudes et à l'intérieur pour quelques heures lors des jours doux. Soyez heureux : elles sont faites d'amour vos tomates séchées ».

POUR 4 PERSONNES

Temps de préparation : 30 minutes — Temps de cuisson : 10 minutes

4 filets de tilapia de 120 g (4 oz) chacun

4 petites courgettes

30 ml (2 c. à soupe) d'huile d'olive

4 portions de salade mesclun

sel et poivre du moulin

Purée de tomates séchées

90 g (1/3 de tasse) de tomates séchées

30 g (2 c. à soupe) de pignons

30 g (2 c. à soupe) de fromage Parmesan

1 gousse d'ail

30 ml (2 c. à soupe) d'huile d'olive

Vinaigrette aux herbes

45 ml (3 c. à soupe) d'huile d'olive

5 g (1 c. à thé) de basilic, haché

5 g (1 c. à thé) de cerfeuil, haché

5 g (1 c. à thé) d'origan, haché

1/2 citron (le jus)

sel et poivre du moulin

Préparer la purée de tomates séchées : mettre tous les ingrédients dans un mélangeur afin d'en faire une pâte. Réserver.

Préparer la vinaigrette en mélangeant tous les ingrédients. Réserver au tiède.

Épointer les courgettes. À l'aide d'une mandoline, les couper finement sur la longueur. Blanchir 2 minutes dans de l'eau bouillante. Égoutter.

Couper les filets de tilapia en deux, dans le sens de la longueur. Étendre la purée de tomates séchées au milieu. Enrouler le tout avec les longues lamelles de courgettes. Déposer sur une plaque et y verser un filet d'huile d'olive. Saler, poivrer et enfourner 8 à 10 minutes au four à 180° F (350° C).

Déposer un filet de tilapia dans chaque assiette. Harmoniser la salade mesclun à côté. Verser la vinaigrette aux herbes sur le poisson et la salade.

Conseils :

Le tilapia est un poisson tropical qui évolue dans les eaux du continent africain. Dans la mer, il se nourrit principalement de plancton et de petits insectes. Reconnu pour sa chair fine et moelleuse, on le retrouve de plus en plus sur les étals de nos poissonniers. C'est la deuxième espèce de poisson la plus élevée dans le monde.

Variez vos vinaigrettes en modifiant les fines herbes que vous utilisez.

Comment s'organiser :

- Une heure avant, préparer la purée de tomates séchées et couper les lamelles de courgettes. Préparer aussi les enroulés de tilapia.
- Trente minutes avant, faire la vinaigrette.
- Au dernier moment, cuire le poisson en considérant 5 à 10 minutes et dresser les assiettes.

Santé

Le succès grandissant du tilapia auprès des consommateurs s'explique pour ses qualités nutritives : il est pauvre en matières grasses et riche en protéines. Ajoutons à ce poisson la courgette, qui est une source non négligeable de minéraux et de vitamine B9.

Velouté de lentilles froid mentholé aux escargots (page 59)
Enroulé de tilapia aux courgettes – farci à la tomate séchée
Bananes sautées au poivre d'Espelette – granité de pommes (page 160)

MÉDAILLONS DE LOTTE EN PIPERADE

« La piperade a la couleur de son accent : fraîche, parfumée, remplie de lumière. De la mer jusqu'au haut de ses montagnes. La piperade a la couleur de son drapeau : le vert de ses poivrons, le blanc de l'ail et de l'oignon et le rouge de ses tomates. La piperade a la couleur de la joie de vivre, le goût du pays basque ».

POUR 4 PERSONNES

Temps de préparation : 15 minutes — Temps de cuisson : 10 minutes

12 médaillons de lotte de 40 g (1 1/3 oz) chacun

30 ml (2 c. à soupe) d'huile d'olive

sel et poivre du moulin

quelques feuilles de basilic pour décorer

Piperade

90 g (1/3 de tasse) de poivrons verts, en brunoise

90 g (1/3 de tasse) de poivrons rouges, en brunoise

120 g (1/2 tasse) d'oignons, hachés

300 g (1 1/4 de tasse) de tomates, pelées, épépinées et coupées en dés

2 gousses d'ail, hachées

60 g (1/4 de tasse) de jambon cru, coupé en dés

30 ml (2 c. à soupe) d'huile d'olive

5 g (1 c. à thé) de basilic frais, haché

sel et poivre du moulin

Préparer la piperade : chauffer l'huile d'olive dans une poêle et faire sauter les dés de poivrons et l'oignon. Laisser cuire doucement durant 5 minutes. Puis, ajouter les tomates, l'ail et le jambon. Saler et poivrer. Cuire encore 5 minutes à feu vif pour terminer la cuisson. Ajouter ensuite le basilic.

Dans une poêle avec de l'huile d'olive, cuire les médaillons de lotte pendant 5 à 10 minutes en prenant soin de les retourner. Assaisonner.

Pour dresser, étendre la piperade au fond de chaque assiette. Y déposer les médaillons de lotte et terminer en décorant avec des feuilles de basilic.

Conseils :

Aussi nommée « baudroie », la lotte est un poisson négligé au Québec. Dommage, car sa chair blanche, maigre, ferme et savoureuse ainsi que son prix mériteraient un bien meilleur accueil.

La seule partie comestible de la lotte est la queue. Sur les étals des poissonniers, vous ne la verrez qu'exceptionnellement entière. Un poisson laid avec une tête démesurée comparativement à son corps, recouvert d'une peau visqueuse, sans écailles et sans arêtes.

La piperade est une spécialité basque qui peut se marier aussi bien avec du poisson que des crustacés ou avec de la viande blanche.

Comment s'organiser :

- Une heure avant, préparer la piperade.
- Quinze minutes avant, cuire les médaillons de lotte et dresser.

Santé

La lotte est riche en phosphore, en protéines et pauvre en lipides. Accompagnée d'une piperade, cette garniture faite de légumes donne à cette recette un accent « santé » par excellence.

Le menu

Galette à la persillade de champignons – jambon cru (page 28)
Médaillons de lotte en piperade
Soupe d'agrumes au vin doux et vanille – purée de mangue (page 192)

MORUE POÊLÉE À L'UNILATÉRAL
CRÈME DE CÉLERI-RAVE

« Unilatéral, tu parles d'un nom ! Un mot qui a davantage sa place pour un stationnement ou pour un dictateur que pour un poisson... Pourtant, quelle belle cuisson. Et pour la morue, quelle merveille ! L'intensité du produit explosera en bouche ».

POUR 4 PERSONNES

Temps de préparation : 10 minutes — Temps de cuisson : 20 minutes

4 morceaux de morue de 120 g (4 oz) chacun

30 ml (2 c. à soupe) d'huile d'olive

4 tomates cerises, blanchies

4 petites branches de céleri pour décorer

des brins de ciboulette pour décorer

Crème de céleri-rave

120 g (1/2 tasse) de céleri-rave, pelé et coupé

60 g (1/4 de tasse) d'oignon, émincé

2 gousses d'ail

1/2 citron (le jus)

60 ml (1/4 de tasse) de lait 2 % ou de lait écrémé

sel et poivre du moulin

Préparer la crème de céleri-rave : dans une casserole avec de l'eau, ajouter ces légumes avec l'ail. Saler et porter à ébullition. Cuire 15 à 20 minutes. Égoutter et passer au mélangeur avec le jus de citron et le lait jusqu'à obtenir une sauce. Au besoin, passer à travers un tamis. Vérifier l'assaisonnement.

Dans une poêle avec un peu d'huile d'olive, déposer la morue côté peau. Cuire à feu modéré durant 10 à 12 minutes sans la retourner. Saler et poivrer.

Verser la crème de céleri-rave dans le fond de chaque assiette. Déposer la morue côté peau sur le dessus. Décorer d'une tomate cerise, d'une petite branche de céleri et de ciboulette.

Conseils :

Une grande famille que « la morue ». On y retrouve l'aiglefin, le merlu, le merlan, le lieu noir et le poulamon mieux connu ici sous le nom de poisson des chenaux. Et oui ! malheureusement, un poisson trop pêché.

La cuisson à l'unilatéral est une cuisson peu connue, mais oh ! combien intéressante. Cette cuisson fera ressortir toute la délicatesse et la fraîcheur du poisson que vous utiliserez. En ne retournant pas la morue pendant la cuisson, le dessus peut vous sembler cru ; c'est le principe de « l'unilatéral ».

Comment s'organiser :

- Une heure avant, préparer la crème de céleri-rave.
- Au dernier moment, cuire la morue en considérant 10 à 12 minutes de cuisson, selon son épaisseur.

Santé

La chair de la morue est maigre et apporte des protéines en bonne quantité. Elle est aussi riche en phosphore, en iode et en potassium. La morue est un poisson particulièrement digeste. Le céleri-rave, peu calorique, est riche en minéraux comme le potassium et le calcium. Riche en fibres, sa consommation est recommandée en cas de paresse intestinale.

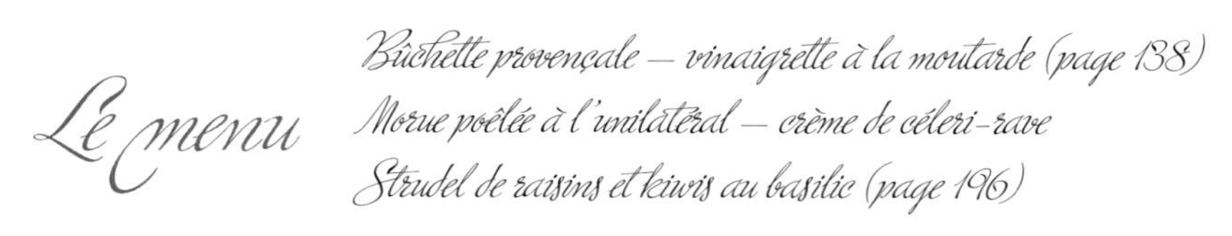

PÉTONCLES AU PAK-CHOY
SAUCE AU THÉ

« Ce sont des voisins asiatiques. Le thé et le pak-choy se connaissent; il était naturel de les unir. Et moi là-dedans dit le pétoncle ? Je ne sais, je ne sais plus. Est-ce que quelque chose m'a échappé ? C'en est presque déstabilisant. À travers les plats, nous sommes habités d'idées et d'émotions. On essaie, on goûte et on se dit hum! Pas mal... Pourquoi pas ? »

POUR 4 PERSONNES

Temps de préparation : 15 minutes — Temps de cuisson : 10 minutes

16 pétoncles
8 petits pak-choy
15 g (1 c. à soupe) de gingembre
125 ml (1/2 tasse) d'huile d'olive
15 ml (1 c. à soupe) de thé en feuilles
10 brins de ciboulette
1 citron (le jus)
fleur de sel
sel et poivre du moulin

Peler et émincer le gingembre. Nettoyer, laver et couper en deux les pak-choy. Les faire sauter dans une poêle (ou un wok) sur un feu vif avec un peu d'huile d'olive. Ajouter le gingembre, saler et réserver.

Préparer la sauce au thé : avec un peu d'huile d'olive, faire dorer les feuilles de thé dans une petite casserole. Puis, à l'aide d'un pied mélangeur, mélanger le thé doré avec le reste de l'huile, la ciboulette et le jus de citron. Saler et poivrer. Garder tiède.

Préparer les pétoncles : retirer le muscle coriace sur le côté du pétoncle. Dans une poêle, saisir à feu vif, les pétoncles avec un peu d'huile environ 1 minute de chaque côté selon la grosseur. Poivrer et ajouter la fleur de sel.

Servir en déposant les pétoncles sur les pak-choy. Verser la sauce au thé.

Conseils :

On peut trouver dans nos marchés de petits pak-choy (aussi appelés bok-choy) qui sont une variété de chou chinois. Tendres, ce sont les meilleurs. Je préconise une cuisson courte. Néanmoins, ils sont très fragiles. Ils se conservent moins longtemps que nos choux traditionnels. Ne les lavez qu'au moment de les utiliser.

À l'achat des pétoncles, assurez-vous que sa chair soit blanche, ferme et sans odeur. Informez-vous si c'est un produit congelé; il serait vraiment déconseillé de le recongeler.

Comment s'organiser :

- Trente minutes avant, préparer les pak-choy et faire la sauce.
- Cuire les pétoncles au dernier moment.

Santé

Le pak-choy est une excellente source de potassium et de vitamine A. Il contient de la vitamine B6, du calcium et du fer. On trouvera dans le pétoncle du magnésium et du potassium qui agissent sur le système nerveux et aident à la contraction musculaire. Il est aussi riche en protéines et pauvre en lipides.

Le menu

Haricots cocos en soupe — poivrons rouges confits et pleurotes (page 44)
Pétoncles au pak-choy — sauce au thé
Feuillantines de poires au vin rouge — gelée de pommes au cassis (page 158)

RISOTTO D'ÉPEAUTRE AUX MOULES,
CORIANDRE ET MIGNERON

«Il s'appelle Arborio — Carnaroli ou Vialone. À l'origine, dans son Italie natale, il lui fallait si peu de choses pour être une entrée. Puis, il est devenu une star. On le voit alors à toutes les sauces, dans toutes les cuisines du monde, se mariant avec lui et avec elle. Mais pourquoi pas en profiter ? Le risotto a tant à offrir.»

POUR 4 PERSONNES

Temps de préparation : 10 minutes — Temps de cuisson : 20 minutes

150 g (1 1/8 de tasse) d'épeautre

30 g (2 c. à soupe) d'échalote

2 kg (4 lb, 4 oz) de moules

125 ml (1/2 tasse) de vin blanc sec

2 tomates, pelées, épépinées et coupées en dés

90 g (1/3 de tasse) de fromage Migneron, coupé en morceaux

60 ml (1/4 de tasse) d'huile d'olive

1/2 citron (le jus)

5 g (1 c. à thé) de persil, haché

5 g (1 c. à thé) de coriandre fraîche, hachée

sel et poivre du moulin

des feuilles de coriandre fraîches pour décorer

Faire cuire l'épeautre dans l'eau bouillante salée à couvert pendant environ une heure à feu doux. Égoutter et remettre dans la casserole. Réserver.

Faire revenir l'échalote avec un filet d'huile d'olive dans une casserole. Ajouter les moules, le vin blanc et le persil. Poivrer. Cuire à feu vif jusqu'à ce que les coquillages soient ouverts. Égoutter et conserver le jus de cuisson. Décortiquer les moules et réserver.

Ajouter la moitié du jus de moules dans la casserole d'épeautre cuit. Additionner ensuite les tomates et laisser compoter jusqu'à ce que l'épeautre ait absorbé tout le liquide. Ajouter le fromage Migneron afin de lier le risotto.

Préparer la sauce : monter le reste du jus de moules avec la coriandre hachée et l'huile d'olive à l'aide d'un pied mélangeur. Ajouter le jus de citron et vérifier l'assaisonnement. Faire chauffer les moules dans cette sauce.

Dresser le risotto dans des assiettes creuses. Y déposer les moules et verser la sauce tout autour. Décorer de quelques feuilles de coriandre fraîches.

Conseils :

Couramment cultivé jusqu'au début du 20e siècle, l'épeautre, cette variété de blé ancestrale, a tendance à disparaître. Néanmoins, on peut le trouver dans les épiceries de produits naturels.

Comme pour le riz, les garnitures qu'on peut additionner au risotto sont multiples. Dans ce cas-ci, moules — coriandre — Migneron. Ce dernier, un fromage connu de la région de Charlevoix, pourrait être remplacé par un fromage de votre choix.

Comment s'organiser :

- Deux heures avant, faire la première cuisson de l'épeautre.
- Une heure avant, cuire les moules et terminer la cuisson de l'épeautre.
- Trente minutes avant, préparer la sauce.
- Au dernier moment, chauffer les moules dans la sauce et dresser le risotto.

Santé

L'épeautre est un type de blé dont la composition est proche de celle du blé tendre. Il peut être utilisé en panification mais aussi, comme dans cette recette, à la manière d'un riz. Comme la plupart des variétés de blé, l'épeautre est une excellente source de magnésium, de potassium, de phosphore, de zinc et de fer.

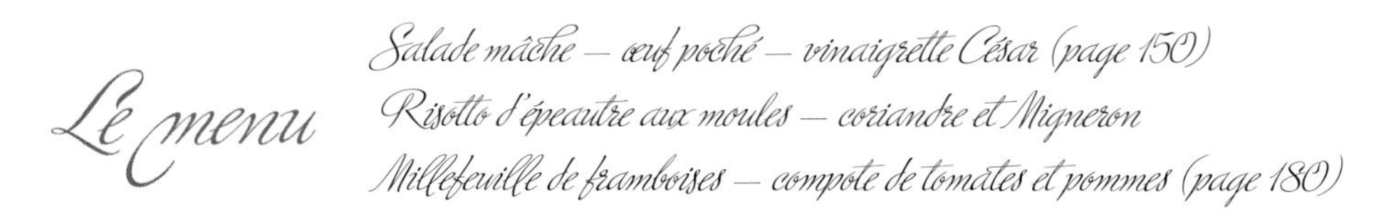

ROUGET EN PAPILLOTE À L'ANETH

« C'est sans doute la plus simple des recettes. Et peut-être le genre de plat que je préfère. À ce poisson qui est arrivé frais chez vous grâce aux efforts conjugués et à l'abnégation du pêcheur, du transporteur, du livreur et de votre poissonnier, cette cuisson « à l'étouffée » rendra gloire. »

POUR 4 PERSONNES

Temps de préparation : 15 minutes — Temps de cuisson: 8 à 10 minutes

4 filets de rouget de 120 g (4 oz) chacun

30 g (2 c. à soupe) d'échalotes, hachées

30 ml (2 c. à soupe) de vermouth blanc

120 ml (1/2 tasse) de fumet de poisson (voir page 13)

45 ml (3 c. à soupe) d'huile d'olive

120 g (1/2 tasse) de fenouil, émincé

5 g (1 c. à thé) d'aneth, haché

1 citron, pelé à vif et tranché

sel et poivre du moulin

Tailler et superposer quatre feuilles de papier sulfurisé sur du papier aluminium pour y déposer le filet de rouget. Prévoir une grandeur double afin de pouvoir replier le papier.

Déposer les échalotes sur le filet et arroser de vermouth, de fumet de poisson et d'huile d'olive. Parsemer de fenouil, d'aneth et de tranches de citron. Saler et poivrer.

Rabattre complètement le papier sur lui-même et pincer soigneusement les bords afin de lui donner la forme d'une demi-lune.

Déposer sur une plaque et cuire au four à 190 °C (375° F) pendant 8 à 10 minutes. Servir dans la papillote; les invités pourront ainsi profiter des arômes à l'ouverture.

Conseils :

La cuisson en papillote nous fait immédiatement penser au plaisir du barbecue. Pourtant, cette cuisson dépasse largement le cadre d'un emballage utilisé afin de ne pas brûler les aliments. Elle est avant tout une approche originale pour concentrer les saveurs. Le principe de cuisson est appelé « à l'étouffée». Les ingrédients ont le temps d'associer leurs arômes dans le petit espace opaque de la papillote. Le plaisir olfactif à l'ouverture du papier est d'une agréable surprise. Le goût fait le reste. Et les possibilités sont multiples, particulièrement avec les poissons et les crustacés ainsi qu'avec les différentes garnitures et assaisonnements qu'on peut ajouter.

Comment s'organiser :

- Préparez vos papillotes une heure à l'avance ; elles peuvent se garder au réfrigérateur.
- Au dernier moment, enfourner en considérant 8 à 10 minutes de cuisson.

Santé

Le rouget est un poisson maigre, facile à digérer, avec une source très intéressante de protéines et de minéraux.

La cuisson en papillote a quelques bonnes particularités ; entre autres, de ne pas exiger de matières grasses.

Le menu

Cœur d'artichaut farci aux épinards, quelques feuilles d'endives (page 140)

Rouget en papillote à l'aneth

Pain perdu aux pommes — sorbet au fromage frais (page 182)

SCAMPIS À LA VANILLE
ET PÉTALES DE FLEURS

« La richesse aromatique et subtile de la vanille envahit et enveloppe la douceur du scampi. En fermant les yeux, vous retrouverez des danses lascives, sous la rougeur du soleil tombant. En rentrant le soir, il y aura des fleurs d'hibiscus qui flotteront dans votre bain. Je n'ai pu m'empêcher de parsemer des pétales de fleurs sur ce plat. »

POUR 4 PERSONNES

Temps de préparation : 30 minutes — Temps de cuisson : 40 minutes

16 scampis

1 gousse de vanille

240 g (8 oz) d'épinards

60 ml (1/4 de tasse) d'huile d'olive

125 ml (1/2 tasse) de vin blanc

sel et poivre du moulin

quelques pétales de fleurs pour décorer

Fumet de scampis

1 carotte, pelée et coupée en morceaux

1 oignon, pelé et coupé en morceaux

1/2 poireau, lavé et coupé en rondelles

60 ml (1/4 de tasse) d'huile d'olive

1 l (4 tasses) d'eau

1 bouquet garni

sel et poivre du moulin

Décortiquer les scampis à l'aide d'un ciseau et retirer la veine noire.

Préparer le fumet de scampis : Faire chauffer l'huile dans une casserole puis y déposer les carapaces de scampis. Ajouter les légumes dans la casserole et faire revenir durant 3 à 4 minutes. Ajouter l'eau et le bouquet garni ; saler et poivrer. Porter à ébullition et laisser frémir 30 minutes afin d'obtenir 1/4 de litre de fumet. Passer au chinois.

Fendre la gousse de vanille en deux, dans le sens de la longueur. Puis, avec la pointe d'un couteau, racler l'intérieur pour prélever les graines.

Équeuter, laver et égoutter les épinards. Dans une poêle avec un peu d'huile d'olive, les faire tomber. Saler, poivrer et réserver au chaud.

Faire cuire rapidement les scampis dans une poêle avec un peu d'huile d'olive pendant 1 à 2 minutes, selon leur grosseur afin de les colorer sans trop les cuire. Saler, poivrer et réserver au chaud.

Dégraisser la poêle avec le vin blanc. Mouiller avec le fumet de scampis et faire réduire afin d'obtenir 125 ml (1/2 tasse) de sauce. Ajouter alors la vanille et, à l'aide d'un pied mélangeur, incorporer en filet 45 ml (3 c. à soupe) d'huile d'olive. Rectifier l'assaisonnement.

Pour dresser, mettre les épinards dans le fond d'une assiette et y déposer les scampis. Verser la sauce et terminer en décorant avec les pétales de fleurs.

Conseils :

Il est rare — malheureusement — de trouver des scampis vivants dans les marchés. Ils se conservent très peu de temps hors de l'eau et, comme ils sont pêchés sur les côtes atlantiques entre la Scandinavie et l'Afrique du Nord, ils nous parviennent congelés.

Comment s'organiser :

- Une heure avant, décortiquer les scampis et préparer la sauce.
- Trente minutes avant, cuire les épinards, les garder au chaud et faire de même pour les scampis.
- Au dernier moment, terminer la sauce et dresser.

Santé

Le scampi est riche en protéines, pauvre en lipides et très digeste. Quant à la vanille, elle est tonique, stimulante, digestive et antiseptique.

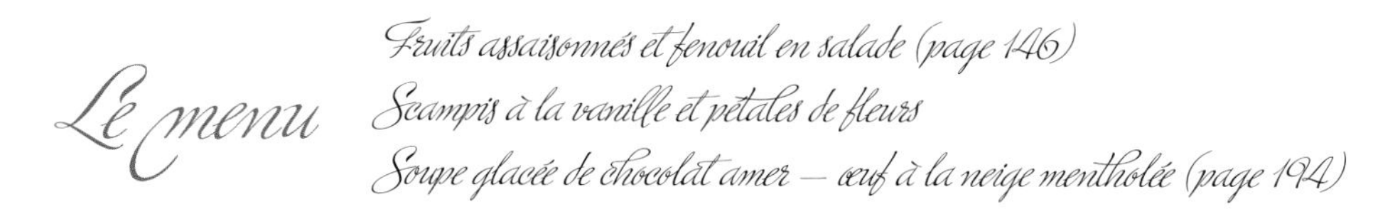

TRUITE SUR TOMATES CONCASSÉES
GOUSSES D'AIL RÔTIES — VINAIGRETTE AU BASILIC

«On ne se souvient jamais si c'est un fruit ou un légume mais, quelle importance ? Ce que l'on sait, c'est que lorsqu'elle est à point, dans notre jardin ou sur l'étal du maraîcher, elle n'a ni ride, ni crevasse. Elle a la peau d'un bébé et une odeur de ciel... la tomate».

POUR 4 PERSONNES

Temps de préparation : 20 minutes — Temps de cuisson : 10 minutes

4 filets de truite de 120 g (4 oz) chacun

30 ml (2 c. à soupe) d'huile d'olive

12 gousses d'ail

sel et poivre du moulin

de la ciboulette pour décorer

Tomates concassées

1 kg (2 lb, 3 oz) de tomates pelées, épépinées et coupées en dés

30 g (2 c. à soupe) d'échalotes, hachées

2 gousses d'ail

15 ml (1 c. à soupe) d'huile d'olive

5 g (1 c. à thé) de basilic frais, haché

sel et poivre du moulin

Vinaigrette au basilic

30 ml (2 c. à soupe) d'huile d'olive

15 ml (1 c. à soupe) d'huile de noix

30 g (2 c. à soupe) d'échalotes, hachées

5 g (1 c. à thé) de basilic frais, haché

1/2 citron (le jus)

Préparer les tomates concassées : dans une casserole avec de l'huile d'olive, faire suer les échalotes et l'ail. Ajouter les tomates et laisser cuire doucement, pendant 5 minutes. Ajouter le basilic, saler et poivrer. Garder au chaud.

Préparer la vinaigrette en mélangeant tous les ingrédients. Garder tiède.

Cuire les filets de truite dans une poêle avec de l'huile d'olive. Saler et poivrer. Ajouter les gousses d'ail entières et les faire rôtir avec le poisson.

Au terme de la cuisson, retirer les filets. Réserver au chaud. L'ail peut prendre un peu plus de temps à cuire. Terminer alors la cuisson quelques minutes au four.

Dresser en déposant les tomates concassées dans le fond de l'assiette. Ajouter ensuite le filet de truite et y verser la vinaigrette tiède. Disperser les gousses d'ail autour. Terminer en décorant avec de la ciboulette.

Conseils :

Pour peler et épépiner facilement des tomates, il suffit de retirer le pédoncule et de les plonger dans l'eau bouillante pendant 30 secondes. On les refroidit ensuite sous l'eau froide et on les pèle. Pour enlever les pépins, couper les tomates en deux et les presser dans le creux de la main, de manière à faire sortir les pépins.

Parmi toute la variété de tomates et mis à part les tomates de jardin, ma préférée reste la tomate oblongue, appelée italienne.

Lorsque vous faites des tomates concassées, laisser mijoter doucement afin que l'eau de végétation puisse réduire tranquillement ; vous y gagnerez en saveur.

Comment s'organiser :

- Une heure avant, préparer les tomates concassées et la vinaigrette.
- Quinze minutes avant, cuire les truites et l'ail. Dresser aussitôt.

Santé

La truite sauvage est assez maigre ; la truite d'élevage est semi-grasse. Les graisses de ce poisson sont composées d'acides gras poly-insaturés de la série Oméga 3.
La truite fournit aussi des vitamines des groupes B et D.

L'ail permet d'améliorer la fluidité du sang, d'abaisser le taux de cholestérol et de lutter contre l'hypertension artérielle.

Le menu

Haricots verts en salade et foies de volaille tièdes (page 148)
Truite sur tomates concassées, gousses d'ail rôties – vinaigrette au basilic
Brochette d'ananas et papaye sur gousse de vanille (page 162)

TURBOT À LA JULIENNE DE LÉGUMES
SAUCE AU PERSIL

« Il y a bien des années, le persil était devenu redondant. Nous le mettions dans toutes les assiettes. Il était la tache de décoration verte sur le plat. Il semblait être comme « un sans domicile fixe ». Au fil des ans, il est devenu « un laissé-pour-compte ». Et, tel celui que l'on ne voit plus, alors on s'est remis à l'aimer. Lui a-t-on trouvé « la raison de vivre ? »

POUR 4 PERSONNES

Temps de préparation : 20 minutes — Temps de cuisson : 10 minutes

4 filets de turbot de 120 g (4 oz) chacun

240 g (1 tasse) de julienne de poireau, carotte et navet

30 ml (2 c. à soupe) d'huile d'olive

fleur de sel et du poivre du moulin

persil plat pour décorer

Sauce au persil

90 g (1/3 de tasse de persil

250 ml (1 tasse) de fumet de poisson

120 g (1/2 tasse) de champignons, lavés et coupés en quartiers

30 g (2 c. à soupe) d'échalotes, hachées

120 g (1/2 tasse) de fromage blanc à 0 % M.G.

1/2 citron (le jus)

sel et poivre du moulin

Préparer la sauce au persil : laver et équeuter le persil. Dans une casserole, cuire à feu doux le fumet de poisson, les champignons, les échalotes et le persil. Laisser tiédir et mélanger à l'aide d'un pied mélangeur jusqu'à obtenir une sauce lisse. Ajouter le fromage blanc, le jus de citron et assaisonner. Réserver au chaud, sans faire bouillir.

Dans une poêle avec un filet d'huile d'olive, faire sauter « al dente » la julienne de légumes. Assaisonner.

Cuire le turbot dans une poêle avec un filet d'huile d'olive. Assaisonner avec la fleur de sel et le poivre.

Dresser en déposant le turbot sur la julienne de légumes et en versant la sauce autour. Décorer avec du persil plat.

Conseils :

En Amérique du Nord, on désigne souvent incorrectement le flétan noir sous le nom de turbot du Groenland. Le vrai turbot habite en Méditerranée, dans la Mer du Nord et le Pacifique. C'est un des poissons de mer les plus fins, et un des plus dispendieux.

L'utilisation du fromage blanc sans matière grasse nécessite de ne pas faire bouillir la sauce, au risque de la voir se séparer.

Choisissez du persil ferme, d'un beau vert. Écarter les feuilles jaunies, brunies. Et puis, pourquoi ne pas le faire pousser sur votre balcon ou à l'arrière de la maison ? C'est si facile !

Comment s'organiser :

- Une heure avant, préparer la julienne de légumes et la sauce au persil.
- Quinze minutes avant, faire sauter les légumes et cuire le turbot.
- Dresser aussitôt.

Santé

La chair du turbot est maigre et possède une bonne teneur en acide gras Oméga 3.
On dit le persil antiscorbutique, stimulant, diurétique et dépuratif.

Le menu

Velouté d'endives aux deux pommes — graines de carvi *(page 51)*

Turbot à la julienne de légumes — sauce au persil

Soupe glacée de chocolat amer — œuf à la neige mentholé *(page 194)*

les viandes, volailles et abats

AIGUILLETTES DE CANARD GLACÉ AU PINEAU
GALETTE DE PANAIS — SALADE D'HERBES

« Il est dodu, bien en chair. D'abord engraissé pour son foie, dont il n'a cure, le magret sait tirer le meilleur. Il faut l'amadouer, il faut de l'entregent. Trop cuit, il devient insaisissable et malheureux. Mais, il peut resplendir sous son côté lourdaud. Bien supporté d'une bonne réduction, il est fier. »

POUR 4 PERSONNES

Temps de préparation : 40 minutes — Temps de cuisson de la galette : 10 minutes — Temps de cuisson des magrets : 10 minutes

2 magrets de canard

125 ml (1/2 tasse) de Pineau des Charentes

15 g (1 c. à soupe) de sucre

250 ml (1 tasse) de jus de canard (voir page 13)

sel et poivre

Galette de panais

300 g (10 oz) de panais

la moitié d'un œuf battu

60 g (1/4 de tasse) de fromage cheddar, râpé

5 g (1 c. à thé) de persil, haché

30 ml (2 c. à soupe) d'huile d'olive

une noix de muscade

sel et poivre

Salade de fines herbes

2 branches de persil plat

1 branche d'estragon

bouquet de cerfeuil

1 bouquet de ciboulette

45 ml (3 c. à soupe) d'huile de sésame

1 filet de vinaigre balsamique

sel et poivre du moulin

Préparer la galette de panais : peler, laver et râper les panais avec une râpe à fromage. Dans un bol, incorporer la moitié d'un œuf battu, le fromage râpé, le persil haché et le râpé de panais. Assaisonner de muscade; saler, poivrer et former quatre galettes.

Dans une poêle antiadhésive bien chaude, cuire les galettes avec un filet d'huile d'olive. Bien colorer. Terminer la cuisson au four à 180° C (350° F) pendant 10 minutes.

Dégraisser légèrement les magrets. Faire des incisions en forme de quadrillage sur la graisse restante, sans couper dans la viande. Dans une poêle bien chaude, colorer les magrets en débutant côté peau. Assaisonner et enfourner à 190° C (375° F) pendant environ 10 minutes. Sortir du four et dégraisser. Déglacer avec le Pineau. Ajouter le sucre et laisser caraméliser. Sortir les magrets de la poêle et les garder au chaud, recouverts d'un papier aluminium. Ajouter le jus de canard et réduire de moitié. Vérifier l'assaisonnement. Réserver.

Préparer la salade de fines herbes : effeuiller le persil plat, l'estragon et le cerfeuil. Tailler la ciboulette en petits tronçons. Mélanger le tout. Au dernier moment, assaisonner avec l'huile de sésame, le vinaigre balsamique, le sel et le poivre.

Pour dresser, couper les magrets en aiguillettes et déposer au centre de l'assiette. Disposer la galette de panais et la salade harmonieusement. Verser la sauce.

Conseils :

Dégraisser bien votre poêle avant de faire la sauce.

Étonnamment, en Europe, au Moyen-Âge et à la Renaissance, le panais était aussi populaire que l'est la pomme de terre de nos jours. Introduit aux États-Unis au XVIe siècle, il ne fut pas apprécié, d'abord en raison de son goût, mais aussi parce qu'il était peu rentable, car il pousse trop lentement. Encore aujourd'hui, il reste marginal. Il s'apprête comme la carotte ou le navet. Gardez-le dans l'eau une fois pelé, puisqu'il s'oxyde rapidement.

Comment s'organiser :

- Une heure avant, préparer les galettes de panais.
- Trente minutes avant, cuire les magrets et faire la sauce.
- Dix minutes avant, préparer la salade de fines herbes.
- Au dernier moment, trancher le canard en aiguillettes et dresser.

Santé

Plusieurs fines herbes constituent une source intéressante de calcium, de potassium et de phosphore. On leur reconnaît de nombreuses propriétés médicinales.

Le panais est une excellente source de potassium, d'acide folique et de vitamine C.

Le menu

Salade de homard au chou de Savoie — vinaigrette à l'orange (page 154)
Aiguillettes de canard glacé au Pineau — galette de panais — salade d'herbes
Feuilles amandines — lait glacé au café (page 172)

CAILLES DE L'ÎLE, SAUCE AU CASSIS
TOMATES À L'ÉPEAUTRE MENTHOLÉ

« Dans ce monde léger de la mémoire, j'aime prendre mon temps. Sentir le mouvement d'un produit. Fouiller au hasard des rencontres un peu magiques, parfois faciles. J'aime suivre sa mise en scène. Ouverture dramatique ici, touche d'humour là. Puis, le grand soir de première arrive... »

POUR 4 PERSONNES

Temps de préparation : 30 minutes — Temps de cuisson des cailles : 15 minutes — Temps de cuisson de la sauce : 40 minutes
Temps de cuisson des tomates : 15 minutes

8 petites cailles, désossées et mises à plat « en crapaudine » (conserver les os)

90 (1/3 de tasse) de cassis ou de groseilles

30 ml (2 c. à soupe) d'huile d'olive

quelques feuilles de menthe pour décorer

Sauce

les os des cailles

30 ml (2 c. à soupe) d'huile d'olive

1 carotte, pelée

1 oignon, pelé

1/2 branche de céleri

1/4 de poireau

125 ml (1/2 tasse) d'alcool de cassis

500 ml (2 tasses) de vin blanc

1 bouquet garni

sel et poivre du moulin

Tomates à l'épeautre

8 tomates cerises, jaunes et rouges

180 g (2/3 de tasse) d'épeautre

1 orange (jus et écorce coupée en julienne)

4 branches de feuilles de menthe

15 ml (1 c. à soupe) d'huile d'olive

sel et poivre du moulin

Cuire l'épeautre dans de l'eau frémissante salée pendant environ 40 minutes. Égoutter et rafraîchir à l'eau froide. Réserver.

Préparer la sauce : dans une casserole sur un feu vif, faire revenir les os des cailles avec l'huile d'olive. Ajouter les légumes lavés et coupés grossièrement. Déglacer avec l'alcool de cassis. Ajouter le vin blanc, le bouquet garni, le sel et le poivre. Laisser mijoter 30 à 40 minutes de manière à réduire le liquide de moitié. Passer au chinois et réserver.

Préparer les tomates à l'épeautre : dans une petite casserole avec de l'eau, faire bouillir la julienne d'orange pendant 3 minutes. Égoutter. Dans une casserole, faire revenir avec de l'huile l'épeautre, la julienne et le jus de l'orange, les feuilles de menthe coupées en julienne. Saler et poivrer.

Couper le haut des tomates. Vider, assaisonner et farcir avec l'épeautre. Remettre le chapeau sur chaque tomate. Déposer dans un plat et cuire au four à 180° C (350° F) pendant 15 minutes.

Dans une poêle avec un filet d'huile d'olive, dorer les cailles. Ajouter la sauce et cuire 10 à 15 minutes en laissant frémir. Au moment de servir, ajouter les cassis ou les groseilles dans la sauce et laisser réchauffer pendant 2 minutes. Dresser dans une assiette avec une tomate à l'épeautre. Décorer avec quelques feuilles de menthe.

Conseils :

Je n'ai pu m'empêcher d'utiliser ce produit qui ne vient pas automatiquement en tête de liste de nos préparations de viande. Sa chair est pourtant délicate et savoureuse. Selon la grosseur de vos cailles et de votre appétit, vous pourriez aussi considérer une grosse caille par personne.

L'Île dont je parle est l'Île d'Orléans. On y élève des cailles, mais on y fait aussi pousser du cassis. Avec ces cassis, monsieur Monna sait faire un excellent alcool et un tout aussi excellent sirop.

Comment s'organiser :

- Une heure quinze avant, cuire l'épeautre (40 minutes).
- Une heure avant, faire la sauce (30 à 40 minutes).
- Trente minutes avant, préparer les tomates à l'épeautre et enfourner (15 minutes).
- Vingt minutes avant, cuire les cailles et terminer la sauce.
- Au dernier moment, dresser.

Santé

Les valeurs nutritives de la caille ressemblent à celles du poulet : riche en protéines et en minéraux.

La tomate est une bonne source de vitamine C, de potassium, d'acide folique et de vitamine A.

L'épeautre est une excellente source de magnésium, de potassium, de phosphore, de zinc et de fer.

Le menu

Cœur d'artichaut farci aux épinards – quelques feuilles d'endives *(page 140)*

Cailles de l'Île – sauce au cassis – tomates à l'épeautre mentholé

Tartare de papaye aux graines d'anis – coulis de mûres *(page 198)*

CARRÉ D'AGNEAU À L'ÉTOUFFÉE DE THYM
LÉGUMES RACINES

« À l'étouffée ». Non ! L'agneau ne manque pas d'air. Je dirais même qu'il est loin de périr d'asphyxie. Il conservera plutôt ses arômes. Mieux encore, il ira chercher ceux de tout ce qui l'entoure. Et Dieu sait que le thym a de quoi être à la hauteur. Il en ressortira du bonheur : juteux, enivrant, exquis et sensuel. »

POUR 4 PERSONNES

Temps de préparation : 25 minutes — Temps de cuisson : 15 minutes

2 carrés d'agneau de 6 à 8 côtes

30 ml (2 c. à soupe) d'huile d'olive

1 gros bouquet de thym

250 ml (1 tasse) de jus d'agneau (voir page 12)

sel et poivre du moulin

Pâte

150 g (2/3 de tasse)de farine

60 ml (1/4 de tasse) d'eau

Légumes racines

180 g (3/4 de tasse) de petits panais

180 g (3/4 de tasse) de petites carottes à fane

180 g (3/4 de tasse) de petits navets

12 pommes de terre grelots

Préparer la pâte qui permettra de sceller la cocotte : mélanger la farine et l'eau. Façonner la pâte obtenue en un long boudin. Laisser reposer.

Laver, peler et couper les extrémités des fanes des légumes. Si vos légumes sont trop gros, les tronçonner. Laver les pommes de terre grelots ; si elles sont trop grosses, les couper.

Dégraisser les carrés d'agneau. Manchonner le haut des os en grattant la chair aux extrémités afin de les mettre à nu. Couper les carrés en deux.

Dans une cocotte en fonte, avec un filet d'huile d'olive, saisir les carrés d'agneau sur un feu vif. Retirer du feu et ajouter le bouquet de thym de manière à bien enfouir les carrés. Ajouter les légumes autour de l'agneau et assaisonner. Ajouter le jus d'agneau. Refermer le couvercle de la cocotte et déposer sur le rebord le boudin de pâte afin de bien sceller la cocotte et d'obtenir une fermeture hermétique. Cuire au four pendant 15 à 18 minutes à 200° C (400° F).

Ouvrir la cocotte devant les invités en cassant le boudin de pâte. Il ne reste plus qu'à partager les carrés d'agneau et les légumes et à arroser le tout avec le jus concentré au fond de la cocotte.

Conseils :

Toute la particularité de ce plat est dans l'ouverture de la cocotte devant vos invités. Le parfum du thym et de l'agneau rempliront votre maison. Une planche à découper à côté, avec un bon couteau, complètera la présentation de ce plat, qui ne se veut pas seulement « un show ».

Si vous pouvez vous procurer des légumes racines comme des salsifis, des racines de persil ou très exceptionnellement des crosnes, n'hésitez pas et additionnez-les dans la cocotte.

Comment s'organiser :

- Une heure avant, faire la pâte qui permettra de sceller la cocotte.
- Quarante-cinq minutes avant, préparer les légumes racines. Préparer aussi les carrés d'agneau et les saisir.
- Trente minutes avant, préparer la cocotte avec tous les ingrédients à l'intérieur et sceller.
- Vingt minutes avant, mettre au four.

Santé

Plus l'animal est âgé, plus sa chair est grasse et calorique. Mais, pour l'agneau, comme la grande partie du gras est apparent, il est facile de l'enlever. Généralement, le gigot et les côtes sont plus maigres que l'épaule.

Les légumes racines fournissent un bon ensemble de minéraux et de vitamines comme les vitamine A et C ainsi que le potassium, le fer, le magnésium et le calcium.

Le menu

Fumet de scampis au safran *(page 46)*
Carré d'agneau à l'étouffée de thym – légumes racines
Mangue et chocolat – sauce à l'avocat *(page 179)*

CARRÉ DE PORC RÔTI — JUS AU CAFÉ
SALADE DE TOPINAMBOURS — OIGNONS AU FOUR

« J'ai un certain attachement pour ces plats au bord de l'irréel. Ceux dont la composition semble vous échapper. Ils sont nés de l'instant. L'amertume du café avec ses notes torréfiées qui, mêlée à cette viande au goût tranquille, vous rappellera la tartine beurrée du dimanche matin. Ce sont des moments magiques, ceux qui arrivent sans nous, malgré la cuisine.»

POUR 4 PERSONNES

Temps de préparation : 40 minutes — Temps de cuisson du carré de porc : 20 minutes — Temps de cuisson des oignons : 1 h 15

1 carré de porc de 4 côtes

30 ml (2 c. à soupe) d'huile d'olive

250 ml (1 tasse) de café espresso

sel et poivre du moulin

Oignons au four

4 oignons moyens

du gros sel

Jus de porc

1 petit oignon

1 carotte

1/2 poireau

1 kg (2 lb, 2 oz) d'os du porc, concasssés

2 gousses d'ail

250 ml (1 tasse) de vin blanc

250 ml (1 tasse) d'eau

sel et poivre du moulin

Salade de topinambours

300 g (1 1/4 de tasse) de topinambours

1/2 citron (le jus)

30 ml (2 c. à soupe) d'huile de noix

125 ml (1/2 tasse) de fromage blanc à 0 % M.G.

sel et poivre du moulin

Peler et envelopper les oignons dans un papier aluminium avec un peu de gros sel. Cuire au four à 140° C (275° F) pendant environ 1 h 15.

Dégraisser légèrement le carré de porc. Manchonner le haut des os en grattant la chair aux extrémités afin de les mettre à nu.

Préparer le jus de porc : laver, peler et couper grossièrement l'oignon, la carotte et le poireau. Dans une casserole avec de l'huile, faire revenir les os de porc. Ajouter les légumes et les gousses d'ail et cuire encore 5 minutes. Verser le vin blanc et l'eau. Assaisonner et laisser frémir 30 minutes jusqu'à l'obtention de 250 ml (1 tasse) de jus. Passer au chinois et réserver.

Préparer la salade de topinambours : peler et râper les topinambours à la râpe à fromage. Dans un bol, les mélanger avec le jus de citron, l'huile de noix et le fromage blanc. Saler, poivrer et réserver au frais.

Cuire le carré de porc : dans une poêle, dorer le carré avec un filet d'huile d'olive. Saler et poivrer. Enfourner environ 20 minutes à 150° C (300° F). Retirer du four et conserver au chaud sous un papier aluminium. Dégraisser la poêle et déglacer avec le jus de porc et le café. Réduire du tiers.

Pour dresser, découper le carré de porc. Déposer, au milieu de l'assiette, l'oignon au four auquel vous aurez retiré le papier aluminium. Y placer ensuite la côte de porc. Effilocher la salade de topinambours sur le côté de l'assiette et terminer en versant le jus au café sur la côte.

Conseils :

Vous connaissez le céleri-rave en rémoulade. J'ai pensé à ce classique des bistrots parisiens pour la salade de topinambours. Râpé à cru, l'huile de noix fait tout le travail pour ce légume au goût d'artichaut. Si le topinambour n'est pas disponible, allez-y pour une salade de chou ou... une rémoulade de céleri-rave.

Demandez à votre boucher de vous préparer le carré de porc qui pourra grossir avec le nombre d'invités. Calculez une côte par personne. Un bon boucher vous vendra un carré à la chair rose et assez ferme et vous donnera quelques os pour compléter la sauce.

Comment s'organiser :

- Une heure trente avant, cuire les oignons.
- Une heure avant, préparer le carré de porc et faire la sauce.
- Trente minutes avant, enfourner le carré de porc et faire la salade de topinambours.
- Au moment de servir, trancher le carré de porc et dresser.

Santé

La viande de porc est riche en protéines et en fer. Elle est également riche en zinc et en potassium et pour son contenu en thianine. La viande de porc n'est pas forcément grasse. Certains morceaux, comme le filet ou les côtes sont assez maigres. Leur teneur en lipides avoisine celle des volailles.

Le topinambour contient beaucoup de minéraux. On le dit désinfectant et énergisant.

Le menu

Flan de légumes – purée de petits pois (page 26)
Carré de porc rôti – jus au café – salade de topinambours – oignons au four
Pêches et bananes rôties en feuille de bananier (page 184)

CÔTE DE VEAU AU MIEL
POMMES À LA CIBOULETTE ET CHOU ROUGE

« La précision du geste. Le coup de main. La bonne concentration d'une réduction. La justesse de l'assaisonnement. La pression du doigt sur la viande moelleuse. Le croquant du légume. La décoration judicieuse. La dextérité du dernier mouvement. »

POUR 4 PERSONNES

Temps de préparation : 30 minutes — Temps de cuisson des côtes de veau : 10 minutes
Temps de cuisson du chou rouge : 30 minutes — Temps de cuisson des pommes : 15 minutes

4 côtes de veau de 180 g (6 oz) chacune

30 ml (2 c. à soupe) d'huile d'olive

15 g (1 c. à soupe) de miel

125 ml (1/2 tasse) de vin blanc

125 ml (1/2 tasse) de fond de veau (voir page 12)

5 g (1 c. à thé) de moutarde en grains

sel et poivre du moulin

des brins de ciboulette pour décorer

Pommes à la ciboulette

4 pommes (Cortland ou Spartan)

15 ml (1 c. à soupe) d'huile d'olive

brins de ciboulette, ciselés

sel et poivre du moulin

Chou rouge

60 g (1/4 de tasse) d'échalotes, hachées

15 ml (1 c. à soupe) d'huile d'olive

300 g (1 1/4 de tasse) de chou rouge, coupé en petits morceaux

15 ml (1 c. à soupe) de vinaigre de vin

1 pomme, pelée et épépinée, coupée en petits dés

sel et poivre du moulin

Préparer le chou rouge : dans une poêle, faire suer les échalotes avec de l'huile. Ajouter le chou rouge, le vinaigre de vin et les dés de pomme. Saler et poivrer. Laisser mijoter à feu doux pendant 30 minutes.

Préparer les pommes à la ciboulette : peler les pommes et en retirer le cœur à l'aide d'un vide-pomme. Les placer dans un plat allant au four. Arroser d'un filet d'huile et remplir le trou laissé par le cœur avec de la ciboulette. Saler, poivrer et cuire 15 minutes au four à 180° C (350° F).

Saisir les côtes de veau dans une poêle avec l'huile. Assaisonner et laisser cuire doucement en conservant une viande juteuse. Retirer les côtes de la poêle et les déposer sur une plaque. Les badigeonner de miel. À la dernière minute, passer les côtes de veau sous le gril pendant 1 ou 2 minutes pour caraméliser.

Dégraisser la poêle de cuisson. Déglacer avec le vin blanc ; réduire de moitié puis ajouter le fond de veau et la moutarde en grains. Réduire de nouveau. Vérifier l'assaisonnement

Dresser sur l'assiette en déposant les côtes de veau sur le chou rouge. Ajouter ensuite la pomme à la ciboulette et verser la sauce autour. Décorer de brins de ciboulette.

Conseils :

Le miel se conserve très longtemps s'il est bien scellé et placé dans un endroit frais et sec. Le froid épaissit le miel et le cristallise, tandis qu'à température élevée, sa saveur change et sa couleur peut être affectée, le rendant plus foncé. Le miel peut se congeler.

Surveillez la cuisson de votre viande afin qu'elle demeure juteuse. Trop cuit, le veau s'assèche et durcit facilement.

Essayez de conserver une texture croquante au chou. Ne le faites pas trop cuire.

Comment s'organiser :

- Une heure avant, préparer et cuire le chou rouge.
- Pendant la cuisson du chou, préparer les pommes à la ciboulette.
- Quinze minutes avant, faire la cuisson des côtes de veau et préparer la sauce.
- Au dernier moment, passer les côtes de veau sous le gril et dresser l'assiette.

Santé

Le veau est une viande assez maigre, contenant des protéines en bonne quantité. Moins grasse que la viande de bœuf, elle est riche en zinc. La chair du veau de grain contient plus de fer que celle du veau de lait — ce qui explique aussi sa teinte plus rosée.

Le menu

Raviole de scampis — sauce aux poivrons (page 32)
Côte de veau au miel — pommes à la ciboulette et chou rouge
Sabayon de figues aux pistaches et vin de glace (page 190)

CUISSE DE CANARD MIJOTÉE AUX PRUNEAUX ET PETITS NAVETS
JUS À L'AMERTUME DE CACAO

« Il y a des moments où vous êtes là, sans plus aucune idée, sans rien. Vous devez vous évader dans votre tête, dans votre esprit. Vous êtes au milieu de la ville, emmuré dans votre cuisine. Il vous manquerait l'odeur de la mer ou bien les plantes sauvages des montagnes.

Une cuisse de canard peut être confite, mais quoi encore. Vous cherchez ce détonateur. Ce sont d'abord les pruneaux. Puis le cacao, et l'amertume — l'extrait de café. Ce plat a trouvé son destin. »

POUR 4 PERSONNES

Temps de préparation : 20 minutes — Temps de cuisson : 1 h 30

4 cuisses de canard

30 ml (2 c. à soupe) d'huile d'olive

2 gousses d'ail

1 bouquet garni

200 g (3/4 de tasse) de pruneaux, dénoyautés

500 ml (2 tasses) de fond de volaille (voir page 12)

300 g (1 tasse) de petits navets

5 g (1 c. à thé) de cacao amer en poudre

1 pincée d'extrait de café

sel et poivre du moulin

du cacao en poudre pour décorer

Dans une cocotte, chauffer un filet d'huile et faire revenir les cuisses de canard. Bien colorer. Ajouter les gousses d'ail, le bouquet garni, les pruneaux dénoyautés et le fond de volaille. Assaisonner, couvrir et cuire au four à 180° C (350° F) pendant 1 h 30.

Peler les petits navets. 20 minutes avant la fin de la cuisson, les ajouter à la préparation dans la cocotte. À la fin de la cuisson, sortir les éléments de la cocotte et conserver au chaud.

Dégraisser la surface du bouillon. Ajouter la poudre de cacao et l'extrait de café. Laisser réduire jusqu'à obtenir 250 ml (1 tasse) de bouillon. Vérifier l'assaisonnement.

Remettre tous les éléments dans la sauce et laisser mijoter 5 minutes. Servir et décorer avec du cacao autour de chaque assiette.

Conseils :

« Le chocolat dans un plat épicé ? » me direz-vous. Le Molé Poblano (ce ragoût de Puebla) est un plat traditionnel de la cuisine mexicaine qui rassemble un échantillonnage impressionnant des richesses de la table mexicaine : dinde ou poulet en passant par des épices... et du chocolat.

La pointe d'extrait de café dans la sauce a son importance : elle complète et atténue l'amertume du cacao.

À la fin de la cuisson du canard, dégraissez bien le fond de cuisson.

Comment s'organiser :

- Deux heures avant, cuire les cuisses de canard.
- Une heure avant, ajouter les petits navets.
- Trente minutes avant, terminer la sauce.
- Au dernier moment, réchauffer le tout dans la sauce.

Santé

Le canard est une viande très calorique. Par sa richesse en fer, elle contribue à la prévention et au traitement des anémies.

Le pruneau est énergétique, car ses sucres sont concentrés. Il est riche en minéraux : potassium, fer, calcium et magnésium. Le pruneau permet en outre de régler la constipation.

Le menu

Gaspacho glacé de tomates, pétoncles marinés (page 52)

Cuisse de canard mijotée aux pruneaux et petits navets – jus à l'amertume de cacao

Fraises et vin rouge épicé (page 176)

ESCALOPE DE PINTADE PANÉE AUX NOIX
LÉGUMES OUBLIÉS ET FIGUES FRAÎCHES
VINAIGRETTE AU VIN ROUGE

« Les légumes oubliés n'ont rien d'anodin. Effacés de la mémoire, ils ont un long pedigree, sortant de la nuit des temps. On les a laissés de côté, car ils n'étaient plus adaptés à nos vies trépidantes. On les a aussi négligés volontairement, car parfois ils nous rappelaient les noirceurs de la guerre. Ils ont pourtant le goût franc et vrai des choses qui passent à travers les âges. »

POUR 4 PERSONNES

Temps de préparation : 20 minutes — Temps de cuisson des pintades : 10 minutes — Temps de cuisson des légumes : 15 minutes

4 suprêmes de pintade d'environ 150 g (5 1/2 oz) chacun

30 g (2 c. à soupe) de farine

1 œuf battu

150 g (2/3 de tasse) de noix, hachés

30 ml (2 c. à soupe) d'huile d'olive

sel et poivre du moulin

quelques noix entières pour décorer

Figues fraîches

4 figues fraîches

250 ml (1 tasse) de vin rouge corsé

30 g (2 c. à soupe) de sucre

Légumes oubliés

180 g (3/4 de tasse) de crosnes

180 g (3/4 de tasse) de salsifis

180 g (3/4 de tasse) de topinambours

2 pincées de sucre

sel et poivre du moulin

Vinaigrette au vin rouge

30 ml (2 c. à soupe) d'huile d'olive

1/2 citron (le jus)

1 pincée de poudre de cannelle

1 pincée de poudre de muscade

sel et poivre du moulin

Préparer les légumes oubliés : frotter les crosnes avec du gros sel de manière à retirer la petite pellicule qui la recouvre. Rincer sous l'eau froide. Peler les salsifis, les couper en rondelles et les conserver dans l'eau pour éviter l'oxydation. Peler les topinambours et les couper en petits dés. Les conserver aussi dans l'eau. Cuire les légumes dans une poêle avec de l'huile. Les faire revenir sur un feu doux. Assaisonner et ajouter le sucre. Couvrir et enfourner pendant environ 15 minutes à 180° C (350° F).

Retirer la peau de la pintade et tailler deux escalopes sur chaque suprême. Les paner en les passant d'un seul côté dans la farine, puis dans l'œuf battu et finalement dans les noix hachés.

Faire pocher les figues dans une petite casserole avec le vin rouge et le sucre pendant 10 minutes sur un feu doux. Les retirer et garder au chaud. Réduire le liquide jusqu'à obtenir 60 ml (1/4 de tasse). Réserver au tiède.

Cuire les escalopes de pintade panées dans une poêle avec un filet d'huile d'olive en débutant par le côté pané. Laisser colorer et retourner. Assaisonner et terminer la cuisson au four à 180° C (350° F) pendant environ 10 minutes.

Pendant la cuisson des escalopes, préparer la vinaigrette en mélangeant la réduction de vin rouge, l'huile d'olive, le jus de citron, la cannelle et la muscade. Saler et poivrer et garder au chaud.

Couper les figues en éventail. Escaloper les suprêmes de pintade et dresser dans une assiette. Disperser les légumes autour de la viande, ajouter la figue et verser la sauce autour. Décorer avec quelques noix entières.

Conseils :

Les légumes oubliés comme les crosnes, les salsifis ou les topinambours sont plutôt rares dans nos marchés. On les retrouve généralement en petites quantités et seulement en saison. N'hésitez donc pas à vous les procurer lorsqu'ils sont disponibles. Vous découvrirez alors le goût fin et légèrement sucré du crosne, le topinambour qui vous rappellera l'artichaut et le salsifis qui ressemble à une longue carotte mince.

J'ai pané l'escalope de pintade avec des noix. Vous pourriez les remplacer par des noisettes ou des amandes.

À l'achat des figues fraîches, choisissez-les molles, charnues et avec la queue ferme.

Comment s'organiser :

- Quarante-cinq minutes avant, préparer et cuire les légumes. Pendant ce temps, préparer et paner les escalopes de pintade.
- Trente minutes avant, pocher les figues.
- Quinze minutes avant, cuire les escalopes. Pendant cette cuisson, faire la vinaigrette.
- Au dernier moment, escaloper les suprêmes et dresser.

Santé

La pintade est maigre et peu calorique. La figue fraîche est nutritive. C'est une bonne source de potassium et de fibres.

La figue serait diurétique et laxative.

Le salsifis est une bonne source de potassium. Il contient de la vitamine B6 et de la vitamine C, du magnésium et du phosphore.

Les noix sont riches en lipides, composés d'acides gras insaturés (mono-insaturés et poly-insaturés). Elles sont aussi une excellente source de cuivre, de magnésium, de potassium, de fer et de fibres.

Le menu

Fumet de scampis au safran (page 46)

Escalope de pintade panée aux noix – légumes oubliés et figues fraîches – vinaigrette au vin rouge

Soupe glacée au chocolat amer – œufs à la neige mentholée (page 194)

FILET D'AGNEAU RÔTI — JUS AU ROMARIN
TABOULÉ DE LÉGUMES

« Il y a, dans la mémoire populaire, le goût de la laine, cette texture qui roule dans la bouche. Il y a, dans ces souvenirs, une aversion pour un animal trop âgé. Ce bêlement qui ne rassemblait personne autour de la table. Puis, on s'est mis à le dorloter. Parfois, on l'a laissé brouter autour de l'Île; verte, comme les herbes salées qu'il mange. Il n'est pas devenu adulte. La mémoire populaire a changé. Tendre et goûteux, l'agneau est devenu noble. »

POUR 4 PERSONNES

Temps de préparation : 20 minutes — Temps de cuisson des carrés d'agneau : 10 minutes
Temps de cuisson du taboulé : 10 minutes

2 carrés d'agneau

30 ml (2 c. à soupe) d'huile d'olive

12 gousses d'ail

250 ml (1 tasse) de jus d'agneau (voir page 12)

1 branche de romarin

sel et poivre du moulin

des branches de romarin pour décorer

Taboulé de légumes

150 g (2/3 de tasse) de semoule de couscous

30 ml (2 c. à soupe) d'huile d'olive

90 g (1/3 de tasse) de carottes, en brunoise

90 g (1/3 de tasse) de courgettes, en brunoise

90 g (1/3 de tasse) de poivrons verts, en brunoise

feuilles de menthe, ciselées

1 citron (le jus)

sel et poivre du moulin

Verser la semoule de couscous dans une passoire très fine et la passer sous l'eau courante. Laisser reposer 15 minutes. Ajouter l'huile d'olive, le sel et le poivre. Bien mélanger et cuire 10 minutes à la vapeur dans un couscoussier. À défaut, déposer la semoule dans un bol. Faire bouillir 250 ml (1 tasse) d'eau puis, la verser sur la semoule. Laisser gonfler.

Désosser et dégraisser les carrés d'agneau. Conserver les os pour la décoration. Dans une poêle bien chaude, chauffer un filet d'huile d'olive et colorer les filets d'agneau. Saler, poivrer et ajouter les gousses d'ail. Enfourner 8 à 10 minutes à 180° C (350° F). Retirer du four et garder les filets au chaud avec les gousses d'ail sous un papier d'aluminium.

Dégraisser la poêle. Déglacer avec le jus d'agneau. Y effeuiller le romarin; laisser réduire d'un tiers et réserver.

Dans une poêle avec un filet d'huile d'olive, faire sauter la brunoise de légumes à feu vif pendant 5 minutes. La garder croquante. Assaisonner. Ajouter la brunoise au couscous avec la menthe et le jus de citron.

Pour dresser, trancher les filets d'agneau en rondelles. Déposer le taboulé de légumes dans le fond de l'assiette puis les tranches d'agneau et les gousses d'ail. Verser la sauce en petite quantité autour de l'assiette et sur les tranches de viande. Décorer avec une branche de romarin.

Conseils :

Aujourd'hui, au Québec, nous avons la chance d'avoir de l'agneau succulent. Dans toutes les régions, il est possible d'obtenir un bel agneau rosé, plein de saveur, ne goûtant pas « la laine » comme il y a quelques décennies. Le roi par excellence est sans nul doute celui qui nous vient de l'Île Verte, mieux connu sous le nom « d'agneau des prés salés. »

Divers assaisonnements avantagent l'agneau. Dans ce plat, c'est le romarin, mais il y a aussi le basilic, la menthe, la sauge, le thym, l'ail et la moutarde.

Comment s'organiser :

- Quarante-cinq minutes avant, passer le couscous sous l'eau courante et le faire gonfler.
- Trente minutes avant, cuire l'agneau et préparer la sauce.
- Pendant la cuisson, faire sauter la brunoise de légumes et la mélanger au couscous.
- Au dernier moment, découper l'agneau et dresser.

Santé

L'agneau a une bonne teneur en zinc, en fer et en vitamine du complexe B.

Le couscous contient de la niacine, de l'acide folique, du potassium et de la thiamine.

Le menu

Soupe de chou-fleur – fenouil et olives au curcuma (page 48)
Filet d'agneau rôti – jus au romarin – taboulé de légumes
Carpaccio de melon et coriandre – granité de muscat (page 165)

FILET DE CHEVAL À L'ÉMULSION DE JUS DE LÉGUMES
PURÉE DE COINGS ET RATATOUILLE

« Oui, je sais. Comment peut-on seulement oser ? Comment peut-on seulement y songer ? Quelle infamie ! Oui, je sais et pourtant. Oublier l'étalon, le pur-sang. Voyez le produit ; comment il peut vous emporter. Ce plat est en parfaite union entre son jus de légumes et sa ratatouille. « OK, mais l'intrus ? » Vous voulez dire la purée de coings ? Ah ! Elle est le catalyseur.

POUR 4 PERSONNES

Temps de préparation : 30 minutes — Temps de cuisson : 8 minutes

1 filet de cheval, coupé en médaillon de 150 g (5 1/2 oz) chacun

45 ml (3 c. à soupe) d'huile d'olive

30 g (2 c. à soupe) d'échalotes, hachées

250 ml (1 tasse) de vin blanc

250 ml (1 tasse) de fond de veau (voir page 12)

160 ml (2/3 de tasse) de jus de légumes (extrait de panais, carottes et navets)

sel et poivre du moulin

Purée de coings

2 coings, pelés, épépinés et coupés en petits cubes

30 ml (2 c. à soupe) d'huile de noix

sel et poivre du moulin

Ratatouille

30 g (2 c. à soupe) d'échalotes, hachées

2 tomates pelées, épépinées et coupées en petits dés

1 poivron vert, coupé en brunoise

1 poivron rouge, coupé en brunoise

1 gousse d'ail, hachée

30 ml (2 c. à soupe) d'huile d'olive

5 g (1 c. à thé) de thym et de basilic, hachés

Préparer la purée de coings : cuire les petits cubes de coings à l'eau salée. Égoutter et passer au mélangeur en ajoutant l'huile de noix. Assaisonner ; garder au chaud.

Faire la ratatouille : chauffer l'huile d'olive dans une casserole et y faire suer les échalotes. Ajouter les tomates, les poivrons, l'ail et les herbes fraîches. Assaisonner et laisser cuire 3 à 4 minutes, tout en conservant les légumes tendres.

Cuire les médaillons de cheval dans une poêle avec de l'huile selon la cuisson désirée. Assaisonner. Sortir les médaillons de la poêle et garder au chaud. Dégraisser la poêle, ajouter les échalotes et le vin blanc. Réduire des 2/3. Ajouter le fond de veau et réduire de nouveau. Puis, à l'aide d'un pied mélangeur, émulsionner avec le jus de légumes. Vérifier l'assaisonnement.

Dresser dans une assiette avec la ratatouille au milieu. Former deux quenelles de purée de coings. Déposer le médaillon sur la ratatouille et verser la sauce en petite quantité sur la viande et autour de l'assiette. Décorer avec quelques herbes.

Conseils :

La viande de cheval reste une mal-aimée dans l'alimentation. Le côté noble de cet animal et notre culture n'ont pas fait de lui « un régulier » de nos cuisines. Et pourtant, il est savoureux. Choisissez-le très frais et de couleur uniforme. Il doit être consommé rapidement, car il est très fragile et s'oxyde facilement.

Le coing est aussi un fruit qui n'est pas très utilisé et pour cause : on le trouve rarement sur les étals de nos épiciers. Choisissez-le bien mûr. S'il est vert, laissez-le mûrir à la température ambiante. On pourrait le remplacer par un autre fruit comme la poire.

J'aime beaucoup cette sauce « santé » émulsionnée à la dernière minute avec le jus de légumes. Ce dernier s'extraira facilement de votre extracteur à jus.

Comment s'organiser :

- Quarante-cinq minutes avant, faire la purée de coings puis enchainer avec la ratatouille.
- Quinze minutes avant, cuire les médaillons de cheval et préparer la sauce.
- Au dernier moment, dresser.

Santé

La viande de cheval, bien que peu consommée, a de nombreuses qualités nutritionnelles. C'est une viande maigre, pauvre en cholestérol, mais riche en fer. Elle a toujours eu la réputation d'être une viande saine et reconstituante.

La sauce faite de jus de légumes, ainsi que la ratatouille, où les légumes ne manquent pas, vous donneront des vitamines.

Le menu

Bulghur aux raisins et saumon fumé (page 20)
Filet de cheval à l'émulsion de jus de légumes – purée de coings et ratatouille
Crème brûlée au basilic et tomates confites (page 168)

FILET DE PORC FARCI AUX PIGNONS
ÉMULSION AU CUMIN — PURÉE DE CÉLERI-POIRE

« On le retrouve ici et là. Par son odeur forte, par sa saveur chaude légèrement pénétrante, le cumin est le soleil des cuisines qu'il parfume. Cette épice est multiculturelle, elle est le vent des sables, la chaleur de Pondichéry, le froid des hauts plateaux aztèques. Utilisée avec parcimonie, elle est la subtilité. »

POUR 4 PERSONNES

Temps de préparation : 30 minutes
Temps de cuisson des filets de porc : 15 minutes — Temps de cuisson de la purée de céleri-poire : 20 minutes

2 filets de porc de 300 g (10 oz) chacun

30 ml (2 c. à soupe) d'huile d'olive

sel et poivre du moulin

quelques pignons grillés pour décorer

Farce aux pignons

60 g (1/4 de tasse) de pignons, hachés

5 g (1 c. à thé) de persil, haché

60 g (1/4 de tasse) de mie de pain

45 ml (3 c. à soupe) d'huile d'olive

60 g (1/4 de tasse) de jambon cuit, haché

1/2 œuf battu

sel et poivre du moulin

Purée de céleri-poire

300 g (1 tasse) de céleri-rave

2 poires

250 ml (1 tasse) de lait

sel et poivre du moulin

Émulsion au cumin

180 ml (3/4 de tasse) d'huile de sésame

45 ml (3 c. à soupe) de vinaigre balsamique

30 g (2 c. à soupe) de câpres

30 g (2 c. à soupe) d'échalotes, hachées

5 g (1 c. à thé) de cumin en poudre

sel et poivre du moulin

Préparer la farce aux pignons : mélanger tous les ingrédients dans un bol. Assaisonner.

À l'aide d'un long couteau, faire une incision au centre des filets de porc. Puis, avec une poche à douille, bien remplir l'intérieur de chacun des filets avec la farce aux pignons. Dans une poêle avec un filet d'huile, colorer le filet. Assaisonner et terminer la cuisson au four à 180° C (350° F) pendant environ 12 à 15 minutes.

Faire la purée de céleri-poire : peler le céleri-rave et le couper en morceaux. Peler, épépiner et couper les poires en morceaux. Cuire les morceaux de céleri-rave et de poire dans le lait pendant environ 20 minutes. Égoutter et, à l'aide d'un pied mélangeur, transformer en purée lisse. Vérifier l'assaisonnement. Si la purée vous semble trop consistante, ajouter un peu du lait de cuisson. Réserver au chaud.

Préparer l'émulsion au cumin : mélanger tous les ingrédients dans un mélangeur ou à l'aide d'un bras mélangeur. Assaisonner et conserver au chaud.

Déposer la purée de céleri-poire au fond de l'assiette. Couper les filets de porc en tronçons. Dresser harmonieusement dans les assiettes et verser l'émulsion au cumin sur le filet. Décorer avec des pignons grillés.

Conseils :

Dans l'émulsion au cumin, vous pourriez utiliser des graines de cumin au lieu de la poudre. Pour qu'elles dégagent toute leur saveur, écrasez les graines et faites-les rôtir. Si vous désirez un parfum plus délicat, les faire sauter brièvement avec un peu d'huile avant de les écraser.

Les pignons sont les graines produites par plusieurs espèces de pins. Le pignon loge entres les écales de la pomme de pin. Les pignons sont habituellement assez coûteux et presque toujours vendus écalés. Choisissez les pignons qui ne dégagent pas d'odeur rancie.

Comment s'organiser :

- Une heure avant, faire la farce et farcir les filets de porc. Préparer aussi la purée de céleri-poire.
- Trente minutes avant, faire l'émulsion au cumin.
- Quinze minutes avant, enfourner les filets de porc.
- Au dernier moment, trancher les filets de porc et dresser.

Santé

La viande de porc est riche en protéines et en fer. Ce n'est pas une viande forcément grasse si l'on sélectionne les morceaux maigres.

Les matières grasses des pignons sont composées de 80 % d'acides non saturés. Ils sont une source très élevée de fibres et contiennent aussi beaucoup de minéraux.

On dit du céleri-rave qu'il est apéritif, diurétique et dépuratif.

Le menu

Brochettes de moules au couscous — coulis de tomates (page 16)
Filet de porc farci aux pignons — émulsion au cumin — purée de céleri-poire
Crème renversée au thé — fenouil caramélisé (page 170)

FOIE DE VEAU SAISI — COMPOTÉ D'OIGNONS
VINAIGRETTE AUX ÉPICES — SALADE MESCLUN

« Cet oignon était là, éternel compagnon. Fidèle parmi les fidèles de la tranche de foie de veau. Puis, une main agile coupa l'oignon en tranches minces. Il y a des morts plus subtiles, mais bon. Et c'est là que tout commence. Le sucré du sirop d'érable, l'acidité du vinaigre — on laisse compoter. Il faut un troisième compagnon. Ce sera une armada d'épices. Mais, en petite dose chacune; en finesse, sur le bout des doigts, en pincée. Et voilà le foie de veau dans une autre galaxie.

POUR 4 PERSONNES

Temps de préparation : 20 minutes — Temps de cuisson : 2 minutes

4 tranches de foie de veau de 120 g (4 oz) chacune

30 ml (2 c. à soupe) d'huile d'olive

des brins de ciboulette pour décorer

4 portions de salade mesclun

Compoté d'oignons

2 gros oignons, coupés en tranches minces

30 ml (2 c. à soupe) d'huile d'olive

30 ml (2 c. à soupe) de vinaigre de vin

45 ml (3 c. à soupe) de sirop d'érable

Vinaigrette aux épices

1 citron (le jus)

1 pincée de curry

1 pincée de curcuma

1 pincée de cumin

1 pincée de safran

125 ml (1/2 tasse) de fond de veau (voir page 12)

125 ml (1/2 tasse) d'huile d'olive

sel et poivre du moulin

Préparer le compoté d'oignon : dans une poêle, faire compoter les tranches d'oignons lentement avec un filet d'huile d'olive. À la fin de la cuisson, ajouter le vinaigre de vin puis le sirop d'érable. Laisser caraméliser légèrement. Garder au chaud.

Faire la vinaigrette aux épices : à l'aide d'un pied mélangeur, émulsionner tous les ingrédients. Garder au chaud.

Dans une poêle bien chaude avec de l'huile d'olive, cuire les tranches de foie de veau en laissant colorer chaque côté. Cuire rosé. Déposer sur une planche à découper et couper le foie en deux.

Dresser en disposant le compoté d'oignons dans le fond de l'assiette ou entre les deux portions de foie. Terminer en décorant avec la salade de mesclun et un filet de vinaigrette aux épices.

Conseils :

Le foie de veau, comme les foies des jeunes animaux (lapin, volaille, agneau), a une saveur plus délicate et est plus tendre, plus savoureux, que celui d'animaux adultes comme le foie de bœuf, de porc ou de mouton. Ceux-ci ont un goût plus fort, plus prononcé et sont parfois pâteux.

Choisissez un foie d'une couleur uniforme, d'un brun rosé au brun rougeâtre. Il doit impérativement dégager une bonne odeur.

Dans la vinaigrette, vous pourriez varier les épices selon vos goûts. Pourquoi ne pas utiliser de la cardamome ou du carvi ?

Comment s'organiser :

- Trente minutes avant, faire le compoté d'oignons et la vinaigrette aux épices.
- Au dernier moment, cuire les tranches de veau et dresser.

Santé

Le foie est l'abat qui possède le plus de qualités nutritionnelles. Il est riche en protéines, en vitamine A et B1 mais surtout en fer. Pensez à manger un fruit riche en vitamine C pendant le repas, il vous permettra d'augmenter l'absorption de ce fer.

Le menu

Huîtres farcies au crabe (page 30)
Foie de veau saisi – compoté d'oignons – vinaigrette aux épices – salade mesclun
Flan de litchis au Saké et gingembre – sauce à l'orange (page 174)

LONGE DE CHEVREUIL À L'INFUSION D'HERBES
GARNITURE COMME GRAND-MÈRE

« Garder le focus. Ne pas s'éparpiller, au risque de s'égarer. Il est vrai que la longe de chevreuil pourrait être une symphonie à elle toute seule. Mais, il lui faut de la compagnie. Une bonne sauce, et plus encore, une infusion d'herbes à la dernière minute. Le dialogue se poursuivra avec les champignons, les petits oignons, le jambon. »

POUR 4 PERSONNES

Temps de préparation : 30 minutes — Temps de cuisson de la sauce : 45 minutes — Temps de cuisson de la longe : 15 minutes

1 longe de chevreuil de 1 kg à 1,2 kg (2 lb, 3 oz à 2 lb 10 oz) avec les os

sel et poivre du moulin

des herbes fraîches pour décorer : thym, romarin, menthe et coriandre

Sauce

les os de la longe de chevreuil

1 carotte, coupée grossièrement

1 oignon, coupé grossièrement

1/2 branche de céleri, coupée grossièrement

1 tomate, coupée grossièrement

500 ml (2 tasses) de vin rouge

500 ml (2 tasses) de fond de veau (voir page 12)

1 bouquet garni

bouquet d'herbes fraîches composé de : thym, romarin, menthe et coriandre

sel et poivre du moulin

Garniture

240 g (8 oz) de petits champignons

240 g (8 oz) de petits oignons

120 g (4 oz) de jambon cuit, coupé en julienne

30 ml (2 c. à soupe) d'huile d'olive

2 pincées de sucre

sel et poivre du moulin

Désosser la longe de chevreuil.

Préparer la sauce : dans une casserole, sur un feu vif, chauffer un filet d'huile et faire revenir les os pour obtenir une bonne coloration. Ajouter tous les légumes aromatiques et laisser cuire 5 minutes. Verser le vin rouge, le fond de veau et le bouquet garni. Saler et poivrer. Laisser mijoter et réduire jusqu'à obtenir environ 500 ml (2 tasses) de liquide. Passer au chinois.

Préparer la garniture : essuyer les champignons et, dans une poêle avec un filet d'huile, les faire sauter entiers à feu vif. Assaisonner. Cuire les petits oignons dans une casserole en les recouvrant d'eau. Amener à ébullition ; ajouter le sucre et une pincée de sel. Couvrir et laisser mijoter à feu doux pendant 15 minutes. Les oignons vont glacer et deviendront brillants grâce au sucre.

Dans une poêle avec un filet d'huile, sauter rapidement la julienne de jambon. Assaisonner.

Déposer la longe de chevreuil sur une plaque allant au four. Faire colorer des deux côtés avec de l'huile. Assaisonner et enfourner à 190° C (375° F) pendant 12 à 15 minutes. Sortir du four et garder au chaud. Dégraisser la plaque et déglacer avec la sauce. Réduire et passer au chinois.

À la dernière minute, remettre la sauce à bouillir et ajouter les herbes. Laisser infuser 5 minutes à couvert, hors du feu, et passer au chinois.

Dresser en découpant la longe de chevreuil. La placer harmonieusement avec la garniture : champignons, petits oignons et julienne de jambon. Verser la sauce autour et décorer d'herbes fraîches.

Conseils :

Cette recette pourrait être réalisée avec d'autres gibiers comme le cerf, l'orignal, le daim et pourquoi pas le sanglier. Dans les commerces, ces gibiers dits « sauvages » n'ont souvent de sauvage que le nom. La majorité d'entre eux provient d'élevage, ce qui, en général, permet d'obtenir une viande plus tendre, souvent moins sapide.

Si vous êtes le chasseur d'un animal âgé, je vous encourage à le faire mariner une ou deux journées. Dans le cas d'une jeune bête, la marinade dénaturerait son goût.

Conservez toujours les os du gibier que vous abattez ; ils font les meilleures sauces.

Comment s'organiser :

- Une heure avant, faire la sauce. Pendant la cuisson, préparer la garniture faite de petits oignons, petits champignons et jambon.
- Trente minutes avant, enfourner la longe de chevreuil.
- Dans les dernières minutes, terminer la sauce avec l'infusion.
- Au dernier moment, trancher la viande et dresser.

Santé

Le chevreuil, comme les autres gibiers, est une viande maigre. Particulièrement riche en protéines, « éléments bâtisseurs » de l'organisme.

Dans la garniture, les petits oignons apporteront, entre autres, du potassium, de la vitamine C et de l'acide folique.

Le menu

Gravelax du moment – sauce à l'aneth (page 22)
Longe de chevreuil à l'infusion d'herbes – garniture comme grand-mère
Risotto au lait et à la papaye – tombée de fruits secs (page 193)

NOISETTES DE LAPIN À L'ORIGAN
TOMBÉE D'ENDIVES ET MARRONS

« Comme pour une course de 110 mètres haies, tout se décide au départ. Désosser le râble, ne pas traverser la chair d'un coup de couteau maladroit. Les os sont si minces, le râble si petit. Puis, comme l'enjambée au-dessus de la haie, vous enroulez la viande sur elle-même avec l'origan. Et là, vous ne devez pas relâcher. La cuisson ! Devoir conserver le juteux de la viande, éviter son dessèchement. Le dernier effort sur le fil d'arrivée. »

POUR 4 PERSONNES

Temps de préparatio : 40 minutes — Temps de cuisson du jus de lapin : 45 minutes — Temps de cuisson des râbles : 8 minutes

2 râbles de lapin

30 ml (2 c. à soupe) d'huile d'olive

6 branches d'origan (dont 2 pour la sauce)

30 g (2 c. à soupe) d'échalotes, hachées

125 ml (1/2 tasse) de vin blanc

45 ml (3 c. à soupe) d'huile de noix

4 branches d'origan pour décorer

sel et poivre du moulin

Jus de lapin

1 carotte, coupée en morceaux

1 oignon, coupé en morceaux

1/2 branche de céleri

gousse d'ail

1 petit bouquet garni

sel et poivre du moulin

Tombée d'endives et de marrons

4 endives, coupées en longueur

30 ml (2 c. à soupe) d'huile d'olive

16 marrons cuits

sel et poivre du moulin

Désosser les râbles de lapin.

Préparer le jus de lapin : dans une casserole avec un filet d'huile d'olive, faire revenir les os avec les légumes pendant 5 minutes. Ajouter le bouquet garni et couvrir avec de l'eau. Assaisonner et laisser frémir pendant 45 minutes. Passer au chinois.

Préparer les râbles : les enrouler sur eux-mêmes en laissant le rognon à l'intérieur et en plaçant une branche d'origan. Ficeler comme un rôti. Dans une poêle, chauffer un filet d'huile et faire colorer les râbles. Assaisonner et enfourner à 190° C (375° F) 7 à 8 minutes. Sortir du four et garder au chaud.

Dégraisser la poêle et ajouter les échalotes puis le vin blanc. Réduire jusqu'à la moitié. Ajouter le jus de lapin et réduire jusqu'à l'obtention de 250 ml (1 tasse) de liquide. Émulsionner à l'huile de noix à l'aide d'un pied mélangeur. Effeuiller deux branches d'origan dans la sauce.

Préparer la tombée d'endives : dans une poêle avec un filet d'huile d'olive, faire tomber les endives à feu doux. Assaisonner et ajouter les marrons. Mettre au four 3 à 4 minutes afin de chauffer le tout. Éviter que les marrons ne se défassent.

Dresser sur une assiette en déposant la tombée d'endives au fond, entourée des marrons. Trancher les râbles, les déposer sur les endives et verser la sauce en petite quantité, sur le lapin et autour de l'assiette. Décorer avec une branche d'origan.

Conseils :

La chair maigre du lapin, non protégée par la peau s'assèche facilement. Il faut donc beaucoup de précaution lors de la cuisson pour conserver une viande juteuse.

Je vous encourage à acheter le lapin entier. Il est assez simple de détacher les quatre pattes pour une autre préparation, comme un bon civet, et de conserver les râbles (la partie charnue, qui commence aux côtes jusqu'à la queue) pour en faire des noisettes. Tout ce travail peut être fait par votre boucher.

Achetez des marrons frais demande de la patience et du temps pour les transformer. Vous pouvez trouver de bons marrons entiers en conserve non sucrés à votre épicerie.

Comment s'organiser :

- Une heure avant, désosser les râbles et faire le jus de lapin. Pendant la cuisson du jus, préparer les râbles.
- Trente minutes avant, saisir et enfourner les râbles. Pendant la cuisson, faire tomber les endives et réchauffer les marrons.
- Dans les dernières minutes, sortir les râbles du four. Terminer avec la sauce et dresser.

Santé

On dit du marron qu'il est antianémique, antiseptique et stomachique.

Le lapin est une bonne source de protéines et contient très peu de lipides. Particulièrement maigre, il est facile à digérer. Il est aussi une bonne source de fer et de phosphore.

L'endive est une excellente source d'acide folique, de potassium et de vitamine C.

Velouté de lentilles froid mentholé aux escargots *(page 59)*
Noisettes de lapin à l'origan — tombée d'endives et marrons
Soupe d'agrumes au vin doux et vanille — purée de mangue *(page 192)*

POULET FARCI AUX HERBES — SAUCE AU SAFRAN
TOMATES ET COURGETTES COMME UN GRATIN

« Certains produits ont besoin d'être travaillés pour triompher. Ils font tellement partie de notre quotidien qu'on ne les voit plus. Ils restent en demi-teinte. Ne dites rien au poulet; surprenez-le. Glissez-lui ces herbes fraîches entre la peau et la chair, puis, enveloppez-le d'une sauce au safran qui ne laisse personne indifférent. Et le voilà dans une autre sphère. »

POUR 4 PERSONNES

Temps de préparation : 30 minutes — Temps de cuisson du poulet : 20 minutes — Temps de cuisson du gratin : 20 minutes

4 poitrines de poulet avec peau

250 ml (1 tasse) de vin blanc

250 ml (1 tasse) de fond de volaille (voir page 12)

180 g (3/4 de tasse) de champignons, coupés en quartier

90 g (1/3 de tasse) de carottes, pelées et coupées en morceaux

2 pincées de safran

sel et poivre du moulin

des herbes fraîches pour décorer (ciboulette, persil, estragon)

Garniture

30 g (2 c. à soupe) d'herbes fraîches hachées (ciboulette, persil, estragon)

30 g (2 c. à soupe) d'échalotes, hachées

15 ml (1 c. à soupe) de fromage blanc à 0 % M.G.

sel et poivre du moulin

Tomates et courgettes

3 tomates

2 courgettes

2 oignons, finement hachés

1 gousse d'ail, hachée

30 ml (2 c. à soupe) d'huile d'olive

30 g (2 c. à soupe) de fromage cheddar, râpé

5 g (1 c. à café) de basilic, haché

sel et poivre du moulin

Préparer la garniture : mélanger les herbes fraîches, les échalotes et le fromage blanc. Saler et poivrer.

Décoller la peau des poitrines de poulet afin d'y introduire, entre la peau et la chair, la garniture d'herbes. Saler et poivrer les poitrines et les déposer dans un plat allant au four. Ajouter le vin blanc, le fond de volaille, les champignons, les carottes et le safran. Réserver.

Préparer le gratin de tomates et courgettes : dans une poêle, faire sauter les oignons avec un filet d'huile d'olive. Ajouter l'ail et le basilic. Retirer du feu. Couper les tomates et les courgettes en tranches de même épaisseur. Les placer dans un plat à gratin en alternance. Assaisonner. Déposer les oignons sautés sur le dessus et parsemer de fromage râpé. Enfourner à 180° C (350° F) pendant 20 minutes.

En même temps, mettre au four les poitrines de poulet pendant 20 à 25 minutes.

Sortir les poitrines de poulet du four. Les retirer de la plaque et les garder au chaud. Mélanger le fond de cuisson au pied mélangeur afin d'obtenir une sauce lisse. Au besoin, réduire et vérifier l'assaisonnement.

Escaloper le poulet et dresser dans une assiette. Déposer le gratin de tomates et courgettes à côté. Verser la sauce autour et terminer en décorant de fines herbes fraîches.

Conseils :

On pourrait faire cette recette avec une autre volaille, comme la dinde, la pintade ou le faisan. Dans le fond de cuisson, les carottes et les champignons aident au goût, bien sûr, mais aussi à l'onctuosité de la sauce. Une fois passée au mélangeur, cette sauce n'aura pas besoin de liant (fécule de maïs ou farine) ni de matière grasse (beurre ou crème 35 %).

Les herbes fraîches dans la farce peuvent être multiples, selon la disponibilité et selon vos goûts. Essayez le basilic, l'origan ou la sauge; intéressants aussi.

Pour réduire la matière grasse de ce plat, il suffirait, à la fin de la cuisson, de retirer délicatement la peau en conservant la farce d'herbes sur le dessus.

Comment s'organiser :

- Quarante-cinq minutes avant, préparer la farce et farcir les poitrines de poulet. Préparer aussi les tomates et courgettes comme un gratin.
- Trente minutes avant, enfourner le poulet et le gratin de tomates et courgettes.
- Dix minutes avant, sortir du four et terminer la sauce.
- Au dernier moment, trancher le poulet et dresser.

Santé

Les graisses du poulet sont surtout composées d'acides gras mono et poly-insaturés bénéfiques. Le poulet peut être une viande maigre, s'il est cuit avec peu de matières grasses et servi sans la peau. Il est aussi une bonne source de vitamine B6, de zinc, de phosphore et de potassium.

Le menu

Bûchette provençale — vinaigrette à la moutarde (page 138)
Poulet farci aux herbes — sauce au safran — tomates et courgettes comme un gratin
Pain perdu aux pommes — sorbet au fromage frais (page 182)

RIS DE VEAU GLACÉ AU SIROP D'ÉRABLE
FENOUIL AU CURCUMA ET PETITES TOMATES

« Plus parisien que ça, tu ne peux pas. On pourrait le qualifier d'ambigu ou de moelleux et doux. Ce sont des compliments pour le ris de veau. Il pourra volontiers se rouler, s'enrober, se caraméliser dans le sirop d'érable. Il ne fuira pas devant l'acidité du vinaigre. Il deviendra orgueilleux devant la pincée d'épices. Mais faites-lui confiance, il sortira toujours gagnant. Et vous allez devoir être très gourmand. »

POUR 4 PERSONNES

Temps de préparation : 30 minutes — Temps de cuisson : 10 minutes

600 g (1 lb, 5 oz) de ris de veau
60 g (1/4 de tasse) de farine
30 ml (2 c. à soupe) d'huile d'olive
30 g (2 c. à soupe) d'échalotes, hachées
15 ml (1 c. à soupe) de vinaigre de vin
60 ml (1/4 de tasse) de sirop d'érable
250 ml (1 tasse) de fond de veau (voir page 12)
5 g (1 c. à thé) de gingembre, en julienne
sel et poivre du moulin
sucre d'érable pour décorer (facultatif)

Fenouil au curcuma

2 bulbes de fenouil, coupés en brunoise
30 ml (2 c. à soupe) d'huile d'olive
5 g (1 c. à thé) de curcuma
fleur de sel et poivre du moulin

8 tomates cerises rouges

Préparer le fenouil au curcuma : dans une poêle avec un filet d'huile, sauter à feu doux la brunoise de fenouil. Ajouter le curcuma, la fleur de sel et le poivre. Réserver au chaud.

Blanchir les ris de veau pendant 10 minutes dans l'eau bouillante. Rafraîchir sous l'eau froide. Éliminer la peau et les petits nerfs des ris de veau et les trancher en escalopes. Fariner les ris de veau très légèrement. Dans une poêle antiadhésive avec un filet d'huile, faire dorer les escalopes de chaque côté. Sortir de la poêle et garder au chaud.

Dans la même poêle, ajouter les échalotes hachées. Déglacer avec le vinaigre de vin et ajouter le sirop d'érable. Laisser caraméliser légèrement. Ajouter le fond de veau et le gingembre. Laisser réduire. Vérifier l'assaisonnement.

Faire une incision en forme de croix au-dessus des tomates cerises. Y verser ensuite un filet d'huile d'olive. Saler, poivrer et enfourner 5 minutes à 180° C (350° F).

Dresser en plaçant le fenouil au curcuma dans le fond de l'assiette. Y déposer les escalopes de ris de veau et verser la sauce autour. Ajouter ensuite les tomates cerises et décorer avec du sucre d'érable.

Conseils :

Ris est le nom donné au thymus du veau (et de l'agneau), une glande blanchâtre présente seulement chez les jeunes animaux, car elle s'atrophie avec l'âge.

Avant de blanchir les ris de veau, il est bon de les laisser tremper 1 ou 2 heures dans de l'eau froide légèrement salée que l'on renouvellera à quelques reprises.

Achetez les ris gros, d'une bonne odeur, d'un blanc laiteux allant sur le rosé. Cuisinez-les rapidement après l'achat ; ils s'abîment très vite.

Comment s'organiser :

- Une heure avant, blanchir, rafraichir, peler et trancher les ris de veau. Couper aussi les bulbes de fenouil en brunoise.
- Trente minutes avant, faire cuire le fenouil.
- Quinze minutes avant, faire cuire les tomates cerises et cuire les escalopes de ris de veau. Préparer aussi la sauce.
- Au dernier moment, dresser l'assiette.

Santé

Le ris de veau est un des rares aliments d'origine animale à contenir de la vitamine C. Il est aussi riche en protéines, en phosphore et en zinc. Sa faible teneur en matières grasses fait en sorte qu'il est facile à digérer, en autant que vous ne le cuisez pas dans une trop grande quantité de gras.

On dit du fenouil qu'il est apéritif, diurétique, antispasmodique, stimulant et vermifuge.

Le menu

Haricots verts en salade et foies de volaille tièdes *(page 148)*

Ris de veau glacé au sirop d'érable – fenouil au curcuma et petites tomates

Feuillantines de poires au vin rouge – compote de pommes au cassis *(page 158)*

ROGNONS DE VEAU AUX CANNEBERGES
COURGETTES GRATINÉES – TOMBÉE D'ÉPINARDS

« Il y a des plats qui peuvent paraître ambitieux; que l'on apprivoise difficilement. Ils sont rarement les premiers choisis au restaurant. Avec les rognons, il faut oser, se lancer. Ce n'est peut-être pas aussi fastidieux. Un truc... deux trucs. La phase intime de la cuisson — saisir sur un feu d'enfer et garder rosé. Vous avez gagné. « Veni, Vidi, Vici. »

POUR 4 PERSONNES

Temps de préparation : 30 minutes — Temps de cuisson des rognons : 15 minutes — Temps de cuisson des courgettes : 15 minutes

2 rognons d'environ 300 g (10 oz) chacun

30 ml (2 c. à soupe) d'huile d'olive

45 ml (3 c. à soupe) de cognac

250 ml (1 tasse) de fond de veau (voir page 12)

30 g (2 c. à soupe) de canneberges séchées

15 g (1 c. à soupe) de moutarde en grains

30 g (1 oz) d'échalotes, hachées

300 g (10 oz) d'épinards, lavés et équeutés

sel et poivre du moulin

Courgettes jaunes gratinées

4 courgettes jaunes, coupées en 2 sur la longueur

60 g (1/4 de tasse) de chapelure

30 g (2 c. à soupe) de parmesan, râpé

2 gousses d'ail, hachées

5 g (1 c. à thé) de basilic, haché

60 ml (1/4 de tasse) d'huile d'olive

sel et poivre du moulin

Préparer les courgettes : placer les moitiés de courgettes sur une plaque et huiler leur surface. Mettre sous le gril du four pendant 5 minutes de chaque côté. Mélanger tous les autres ingrédients. Parsemer ce mélange sur les courgettes. Assaisonner et terminer la cuisson au four à 180° C (350° F) pendant 5 à 10 minutes selon la grosseur.

Dans une poêle très chaude avec de l'huile d'olive, saisir les rognons des deux côtés. Saler, poivrer et terminer la cuisson au four pendant 10 à 15 minutes à 190° C (375° F). S'assurer de tourner les rognons de temps en temps. Garder rosés et au chaud. Enlever l'excédent de graisse dans la poêle de cuisson. Déglacer au cognac, ajouter le fond de veau, les canneberges et la moutarde en grains. Laisser réduire. Vérifier l'assaisonnement.

Dans une poêle, faire suer les échalotes avec l'huile. Y faire tomber les épinards. Assaisonner.

Trancher les rognons. Déposer les épinards dans le fond de l'assiette, y placer les tranches de rognons et les courgettes gratinées à côté. Verser la sauce en petite quantité autour de l'assiette et sur les rognons.

Conseils :

En terme culinaire, les rognons désignent le rein des animaux de boucherie. On peut penser aux rognons de porc, de mouton, d'agneau ou de bœuf. Les rognons de veau, comme d'ailleurs ceux des jeunes animaux, sont tendres. D'un brun pâle, choisissez-les fermes, luisants et sans odeur forte. Les faire tremper dans l'eau salée pendant 1 ou 2 heures au réfrigérateur. Avant de les cuisiner, il suffira de les égoutter, de les rincer et de les assécher.

Comment s'organiser :

- Une heure avant, préparer les courgettes jaunes gratinées.
- Trente minutes avant, cuire au four les rognons de veau. Pendant cette cuisson, faire tomber les épinards. À la fin de la cuisson, préparer la sauce.
- Au dernier moment, trancher les rognons et dresser.

Santé

Les rognons contiennent relativement peu de matières grasses, mais beaucoup de cholestérol. Ils sont riches en protéines et en vitamine B.

La canneberge contient de la vitamine C et du potassium. On la dit bénéfique pour la circulation sanguine, la peau et le système digestif. On s'en sert dans le traitement des infections urinaires.

Le menu

Carpaccio de pétoncles, vinaigrette à la vanille (page 18)
Rognons de veau aux canneberges — courgettes gratinées — tombée d'épinards
Bananes sautées au poivre d'Espelette — granité de pommes (page 160)

SOURIS D'AGNEAU AUX ORANGES
ET GOURGANES

« Ce sera donc une cuisson lente. Paresseuse comme une sieste sous un parasol, au rythme ensoleillé d'un après-midi d'été. Comme bercée par le souffle du vent. Prenez votre temps, rien ne presse. Car au terme de sa cuisson, c'est un moment de pur délice. »

POUR 4 PERSONNES

Temps de préparation: 20 minutes — Temps de cuisson : 1 h 30 — Marinade : 12 heures

4 souris d'agneau

30 ml (2 c. à soupe) d'huile d'olive

500 ml (2 tasses) de jus d'agneau ou de fond de veau (voir page 12)

2 oranges

180 g (2/3 de tasse) de gourganes, pelées

sel et poivre du moulin

Marinade

90 g (1/3 de tasse) d'oignons, en lamelles

90 g (1/3 de tasse) de carottes, en rondelles

2 oranges (le jus)

1 citron (le jus)

1 bouquet garni

250 ml (1 tasse) de vin blanc

2 gousses d'ail

Mélanger tous les ingrédients de la marinade et y faire mariner les souris d'agneau pendant 12 heures au réfrigérateur.

Égoutter les souris. Les saisir et les colorer dans une cocotte avec de l'huile. Ajouter la marinade et son jus ainsi que le jus d'agneau. Saler, poivrer et couvrir. Cuire au four à 190° C (375° F) pendant 1 h 30.

Pendant ce temps, retirer l'écorce des oranges et la tailler en fine julienne. Peler ensuite l'orange à vif et en retirer les sections. Dans une petite casserole avec de l'eau, faire bouillir la julienne d'orange pendant 2 minutes. Égoutter et réserver.

La cuisson des souris terminée, les retirer de la cocotte et les garder au chaud. Enlever aussi le bouquet garni. À l'aide d'un bras mélangeur, mélanger le fond de cuisson de manière à obtenir une sauce lisse. Remettre cette sauce dans une casserole et y cuire les gourganes en laissant mijoter le tout pendant 5 à 10 minutes. À la fin de la cuisson des gourganes, réchauffer les sections d'orange dans la sauce.

Dresser dans une assiette en arrosant les souris d'agneau avec la sauce et les gourganes. Disposer les sections d'orange harmonieusement et décorer avec la julienne d'orange.

Conseils :

La souris de l'agneau est cette partie musculaire maigre et tendineuse attenante au manche du gigot. On la mange — bien sûr — avec le gigot rôti. Mais, on peut aussi acheter les souris séparément du gigot et les traiter à la manière d'un Osso Bucco.

Ce plat devient meilleur le lendemain, lorsque vous le réchauffez.

Comment s'organiser :

- La veille (12 heures) avant, mariner les souris d'agneau.
- Deux heures avant, cuire les souris d'agneau.
- Une heure trente avant, sortir les souris d'agneau et cuire les gourganes dans la sauce.
- Au dernier moment, réchauffer les sections d'orange et dresser.

Santé

L'agneau est une viande calorique, mais comme la grande partie de son gras est apparent, il est facile de l'enlever. C'est vrai pour le gigot et bien sûr pour la souris, qui est plus maigre que l'épaule.

Le menu

Nems de concombres à la fraîcheur du jardin *(page 38)*

Souris d'agneau aux oranges et gourganes

Fraises au vinaigre balsamique – sorbet de poire au gingembre *(page 178)*

SUPRÊME DE FAISAN
À LA VINAIGRETTE DE JEUNES LÉGUMES

« Ce plat est une montée d'adrénaline du goût. Un crescendo de saveur. Le bouillon qui passe de l'un à l'autre pour mieux s'enrichir, se concentrer, s'affiner. On y cuit le faisan. Puis, on le transporte dans une autre dimension pour synthétiser les légumes. Ensuite, on le récupère pour le substituer à la vinaigrette et opérer une véritable explosion de jouissance. »

POUR 4 PERSONNES

Temps de préparation : 30 minutes — Temps de cuisson des suprêmes de faisan : 15 minutes
Temps de cuisson des légumes : 8 minutes

4 suprêmes de faisan

30 ml (2 c. à soupe) d'huile d'olive

375 ml (1 1/2 tasse) de vin blanc

375 ml (1 1/2 tasse) d'eau

4 grosses branches de persil plat

sel et poivre du moulin

de la fleur de sel

des pétales de fleur (pour décorer)

600 g (1 lb, 5 oz) de jeunes légumes :
jeunes radis
mini-navets avec fanes
mini-carottes avec fanes
pois mange-tout
haricots verts fins

Vinaigrette au jus de légumes

120 g (1/2 tasse) de pois mange-tout et de haricots verts

45 ml (3 c. à soupe) d'huile d'olive

1 citron (le jus)

Peler et laver tous les jeunes légumes.

Faire revenir les suprêmes de faisan dans une poêle avec un filet d'huile d'olive. Bien colorer et assaisonner. Déglacer avec le vin blanc et la même quantité d'eau. Ajouter le persil plat. Cuire à couvert pendant 12 à 15 minutes. Sortir les faisans et les garder au chaud.

Plonger les jeunes légumes dans le bouillon de cuisson du faisan et cuire 7 à 8 minutes. Garder croquants. Retirer les légumes du bouillon et les garder au chaud.

Préparer la vinaigrette au jus de légumes : Cuire les pois mange-tout et les haricots verts dans le bouillon restant. Laisser réduire le tout pendant 15 minutes. Après la cuisson de ces légumes, vous devriez obtenir environ 250 ml (1 tasse) de liquide. Mélanger alors le tout avec un pied mélangeur. Additionner l'huile d'olive et le jus de citron. Vérifier l'assaisonnement.

Pour dresser, escaloper les suprêmes de faisan. Étendre la sauce au fond de l'assiette et placer harmonieusement les tranches de faisan et les jeunes légumes. Décorer avec des pétales de fleur. Terminer en parsemant de fleur de sel.

Conseils :

Une vieille coutume voulait que l'on faisande un oiseau, c'est-à-dire qu'on le suspende durant quatre à dix jours afin que s'effectue un commencement de décomposition des protéines, ce qui attendrissait la chair et lui donnait une saveur soutenue. De nos jours, cette pratique n'est qu'exceptionnellement utilisée, et principalement pour les faisans sauvages.

Les faisans achetés dans les commerces sont des volatiles jeunes et élevés en volière ou dans des poulaillers intérieurs. On peut les cuire deux à quatre jours après qu'ils aient été tués.

La garniture de jeunes légumes peut évidemment varier selon la saison.

Comment s'organiser :

- Quarante-cinq minutes avant, préparer les légumes et cuire les poitrines de faisan.
- Trente minutes avant, sortir les poitrines de faisan et cuire les légumes dans le bouillon.
- Quinze minutes avant, faire la vinaigrette au jus de légumes.
- Au moment de servir, escaloper les poitrines de faisan et dresser.

Santé

Le faisan est maigre et peu calorique.

Avec les jeunes radis, navets, carottes, pois mange-tout et haricots verts, vous retrouvez toute une gamme d'aliments nutritifs que seuls, les légumes peuvent apporter et que l'on doit consommer sur une base régulière.

Le menu

Velouté d'endives aux deux pommes — graines de carvi (page 51)
Suprême de faisan à la vinaigrette de jeunes légumes
Prunes aux pistils de safran — sous croûte dorée (page 188)

les salades

BÛCHETTE PROVENÇALE
VINAIGRETTE À LA MOUTARDE

« Il peut être rond, carré, allongé ou d'un seul bloc. Tout seul au milieu d'une table avec du bon pain et un verre de vin rouge. Le fromage fait merveille, on le sait bien. Mais, essayons de faire autre chose avec lui. Nous lui donnons une autre personnalité, l'habillons différemment. Profitons de ces caractéristiques. Le Roi est mort — Vive le Roi. »

POUR 4 PERSONNES

Temps de préparation : 30 minutes — Temps de réfrigération : 6 heures

240 g (8 oz) de fromage de chèvre (style bûchette)

60 g (1/4 de tasse) d'olives Kalamata, hachées

60 g (1/4 de tasse) de tomates séchées, hachées

60 g (1/4 de tasse) de pacanes, hachées

15 g (1 c. à soupe) de basilic, haché

45 ml (3 c. à soupe) d'huile d'olive

ciboulette pour décorer

Vinaigrette à la moutarde

5 g (1 c. à thé) de moutarde de Dijon

45 ml (3 c. à soupe) d'huile d'olive

1/2 citron (le jus)

15 g (1 c. à soupe) d'échalotes, hachées

sel et poivre du moulin

Pour la garniture

4 tomates cerises jaunes, coupées en deux

4 tomates cerises rouges, coupées en deux

60 g (1/4 de tasse) d'olives Kalamata, coupées en deux

30 g (2 c. à soupe) de pacanes entières

30 g (2 c. à soupe) de fines herbes (basilic, cerfeuil, origan)

quelques brins de ciboulette

quelques feuilles d'arugula

Décroûter le fromage de chèvre. Si vous achetez un fromage de chèvre crémeux, à pâte molle, formez-le en bûchette.

Hacher les olives, les tomates séchées et les pacanes. Mélanger le tout dans un bol avec le basilic. Rouler la bûchette dans ce mélange. La déposer sur une pellicule de plastique et verser l'huile d'olive sur la bûchette. Enrouler le tout dans la pellicule plastique et réfrigérer 6 à 8 heures.

Préparer la vinaigrette en mélangeant tous les ingrédients.

Retirer la pellicule de plastique autour de la bûchette et la couper en 4 portions.

Dans une assiette, déposer le fromage au milieu. Parsemer autour les quartiers de tomates cerises jaunes et rouges, les fines herbes, les olives coupées en deux et les pacanes entières.

Verser la vinaigrette sur le tout. Décorer avec de la ciboulette.

Conseils :

Pour mariner le fromage, vous pourriez utiliser une excellente huile d'olive. Il en existe de nombreuses sur le marché. Je suis sûr que votre épicier aura à vous proposer une bonne huile vierge pressée à froid.

Et, par pure gourmandise, ayez avec vous un bon morceau de baguette au levain afin de ne rien laisser dans le fond de votre assiette.

Comment s'organiser :

- La veille, préparer le fromage et le faire mariner.
- Trente minutes avant, faire la vinaigrette et préparer les autres ingrédients.
- Au dernier moment, dresser. Verser la vinaigrette, décorer et servir aussitôt.

Santé

La richesse en protéines et en calcium des fromages en général est un atout nutritionnel. Mais, on peut leur reprocher, parfois, une teneur en matières grasses et calorique élevée.

Les fromages à pâte fraîche comme la ricotta contiennent beaucoup moins de matières grasses, donc sont moins caloriques que les fromages à pâte molle ou les chèvres secs ou demi-secs. Ils sont aussi très peu salés. Ce pourrait donc être un choix judicieux.

Le menu

Bûchette provençale – vinaigrette à la moutarde
Morue poêlée à l'unilatéral – crème de céleri-rave (page 84)
Sabayon de figues aux pistaches et vin de glace (page 190)

CŒUR D'ARTICHAUT FARCI AUX ÉPINARDS
QUELQUES FEUILLES D'ENDIVES

« L'artichaut se mérite. Déposez une cuillère sous votre assiette creuse afin de lui donner une pente. Versez, dans le bas de l'assiette, une bonne huile d'olive, un filet de vinaigre, du sel et du poivre que vous mélangerez avec votre fourchette. Le temps est venu de déshabiller l'artichaut. Feuille par feuille, vous allez tremper le bout dans la vinaigrette et, entre les dents, racler cette extrémité qui vous fondra dans la bouche. Rendu à la dernière feuille, vous allez retirer le foin et finir par le meilleur: le cœur, qui trempera dans le reste de vinaigrette avant d'être apprécié. L'artichaut se mérite... mais quel bonheur! »

POUR 4 PERSONNES

Temps de préparation : 20 minutes — Temps de cuisson des artichauts : 20 minutes

4 à 8 artichauts, selon la grosseur
1 citron
15 g (1 c. à soupe) de farine
240 g (8 oz) d'épinards
45 ml (3 c. à soupe) d'huile d'olive
4 endives
sel et poivre du moulin
des feuilles de basilic pour décorer

Vinaigrette

45 ml (3 c. à soupe) d'huile d'olive
1/2 citron (le jus)
5 g (1 c. à thé) de basilic, haché
sel et poivre du moulin

À l'aide d'un couteau et dans un mouvement circulaire, éliminer les feuilles des artichauts et conserver les cœurs. Citronner avec un demi-citron afin d'éliminer l'oxydation.

Dans une casserole avec de l'eau, délayer la farine. Ajouter un demi-citron. Saler les cœurs d'artichaut et les cuire de 15 à 20 minutes dans l'eau citronnée. Égoutter et refroidir. Retirer le foin au centre du cœur d'artichaut. Réserver.

Équeuter, laver et égoutter les épinards. Dans une poêle antiadhésive, faire tomber les épinards quelques minutes. Assaisonner. Passer au mélangeur avec l'huile d'olive afin d'obtenir une purée lisse.

Farcir les cœurs d'artichaut avec la purée d'épinards. Réserver.

Effeuiller les endives.

Préparer la vinaigrette en mélangeant tous les ingrédients.

Placer le cœur d'artichaut au centre d'une assiette, sur un lit de feuilles d'endives et napper de vinaigrette.

Décorer avec les feuilles de basilic.

Conseils :

La farine que l'on délaie dans l'eau permet d'éviter l'oxydation des cœurs d'artichaut et ainsi les conserver blancs.

On peut aussi cuire les artichauts avec les feuilles et les effeuiller après cuisson pour ne garder que le cœur. Les feuilles peuvent alors servir de décoration autour de l'assiette.

Choisissez un artichaut compact et lourd. Notez que la taille n'est pas un indice de qualité, car elle varie selon les variétés. Le pied doit être cassant. Vous pourriez vous procurer des cœurs d'artichaut en conserve ou congelés. Ne vous attendez pas à la même qualité, néanmoins certaines marques peuvent être remarquables.

Comment s'organiser :

- Quarante-cinq minutes avant, préparer et cuire les artichauts.
- Trente minutes avant, préparer et laisser tomber les épinards. Puis, farcir les cœurs d'artichaut. Préparer aussi les endives et la vinaigrette.
- Au dernier moment, monter l'assiette.

Santé

Légume santé par excellence, l'artichaut contient une grande quantité de minéraux : du potassium, du calcium et du magnésium. On le dit apéritif et diurétique. Il est aussi très riche en fibres.

Le menu

Cœur d'artichaut farci aux épinards – quelques feuilles d'endives
Truite sur tomates concassées – gousses d'ail rôties – vinaigrette au basilic (page 94)
Chips de pommes en écailles – sorbet de bleuets et coulis de pommes (page 166)

CONCOMBRES, AVOCAT, RAPINI ET MAÏS EN SALADE
JAMBON CRU ET PURÉE DE POIRES

« Avec ce plat, il me fallait un « rassembleur ». Ce n'était pas chose évidente. Le goût légèrement amer, c'était un peu le jazz du rapini. Joué avec le jambon cru, un peu salé, le côté blues de la cuisine. Puis, il fallait faire avec le côté plus « cool » du concombre et de l'avocat. La purée de poires est alors devenue comme ces fins de partition où le son devient vaporeux, léger, zen. »

POUR 4 PERSONNES

Temps de préparation : 20 minutes

4 tiges de rapini

90 g (1/3 de tasse) de maïs, en grains

1 avocat, pelé, dénoyauté et coupé en brunoise

1 concombre, épépiné et coupé en brunoise

1 filet de vinaigre de vin

1 petit bouquet de persil plat, coupé en julienne

4 tranches de jambon cru

du persil plat pour décorer

Vinaigrette

60 ml (1/4 de tasse) d'huile d'olive

1/2 citron (le jus)

5 g (1 c. à thé) de persil, haché

sel et poivre du moulin

Purée de poires

1 poire, pelée, épépinée et coupée en morceaux

1/2 citron (le jus)

5 ml (1 c. à thé) de vinaigre balsamique

Blanchir le rapini dans de l'eau bouillante salée pendant 2 minutes. Égoutter et rafraîchir. Disposer le rapini dans un bol et y verser un mince filet de vinaigre de vin. Laisser mariner pendant 30 minutes.

Préparer la purée de poires en passant au mélangeur les morceaux de poire, le jus de citron et le vinaigre balsamique.

Préparer la vinaigrette en mélangeant tous les ingrédients.

Dans un bol, mélanger délicatement le maïs en grains, l'avocat, le concombre, le rapini, le persil plat en julienne avec la vinaigrette.

Déposer la purée de poires harmonieusement dans chaque assiette. Ajouter la salade. Chiffonner le jambon cru et déposer sur le dessus. Décorer de persil plat.

Conseils :

On connaît mal le rapini et sa saveur amère. Il mérite d'être découvert. La communauté italienne, elle, le connaît très bien. En effet, ce sont les Italiens qui, au début du XXe siècle, le firent traverser l'Atlantique lorsqu'ils s'installèrent aux États-Unis. Assurément, le rapini ne connut pas la même popularité en Amérique du Nord que son voisin, le brocoli.

Les tiges du rapini sont souvent préférées aux feuilles, car leur saveur est moins prononcée.

Comment s'organiser :

- Trente minutes avant, blanchir le rapini. Puis, faire la purée de poires et la vinaigrette.
- Au dernier moment, rassembler les ingrédients avec la vinaigrette et dresser l'assiette.

Santé

Le concombre est reconnu pour son action astringente et détoxiquante sur la peau. Il est peu calorique et très riche en eau.

L'avocat est très calorique, car riche en lipides, mais il contient des acides gras insaturés utiles au système cardio-vasculaire. Il est aussi dépourvu de cholestérol.

Le rapini est une excellente source de vitamine C et de potassium.

Quant au maïs, on y retrouve aussi de la vitamine C, de nombreux minéraux et des fibres.

Le menu

Concombres, avocat, rapini et maïs en salade — jambon cru et purée de poires
Filet de vivaneau rôti — poivron doux — sauce au vin rouge *(page 74)*
Pain perdu aux pommes — sorbet au fromage frais *(page 182)*

FROMAGE DE CHÈVRE FRAIS AU CANARD FUMÉ

« Laissez-vous aller. Cette association pourrait vous sembler fugace, et pourtant. Le canard fumé en belles aiguillettes, ce n'est pas rien. Pour en arriver là, il en a vu de toutes les couleurs, le canard. Je voulais lui laisser toute la place. Le fromage frais ne pouvait lui faire de l'ombre. »

POUR 4 PERSONNES

Temps de préparation : 20 minutes

1 magret de canard fumé

180 g (3/4 de tasse) de salade mesclun

240 g (8 oz) de fromage de chèvre frais

de la ciboulette pour décorer

Vinaigrette aux échalotes

45 ml (3 c. à soupe) d'huile d'olive

15 g (1 c. à soupe) d'échalotes, hachées

1/2 citron (le jus)

5 g (1 c. à thé) de baies roses (poivre rose)

5 g (1 c. à thé) de ciboulette, hachée

sel et poivre du moulin

Préparer la vinaigrette en mélangeant tous les ingrédients.

Découper le magret de canard fumé en lamelles très fines.

Garnir une assiette de salade mesclun. Mouler en forme arrondie le fromage de chèvre frais. Déposer les morceaux de fromage sur la salade et placer les aiguillettes de canard sur le dessus. Arroser de vinaigrette.

Décorer avec la ciboulette.

Conseils :

Trancher le canard fumé très mince. Ses saveurs seront plus significatives et le goût délicat n'en sortira que mieux. Il sera aussi plus agréable à manger.

Vous pourriez remplacer le canard fumé par d'autres produits fumés disponibles sur le marché. Par exemple le cerf fumé, le bison ou bien l'oie.

Comment s'organiser :

- Ce plat se fait entièrement à la dernière minute.

Santé

Les fromages (et les fromages frais) ont une valeur calorique qui dépend de leur teneur en eau. Par exemple, un fromage frais contient 85% d'eau, donc 15% d'extrait sec ; un fromage à pâte molle, 50% d'eau et un fromage à pâte dure, de 45% à 55% d'eau. Leur teneur en graisses varie donc en fonction du pourcentage de matières grasses qui reste dans la matière sèche, une fois que l'on a enlevé l'eau. En fait, plus un fromage est égoutté et pressé, plus sa pâte est dure et plus il est riche en matières grasses et en éléments nutritionnels comme le calcium.

Le fumage a un pouvoir bactéricide et bactériostatique ainsi que des propriétés antifongiques et antioxydantes. Ces pouvoirs viennent des composés phénoliques et d'acides présents dans la fumée.

Le menu

Fromage de chèvre frais au canard fumé

Bar poêlé bardé de thym et lentilles (page 62)

Soupe d'agrumes au vin doux et vanille – purée de mangue (page 192)

FRUITS ASSAISONNÉS ET FENOUIL EN SALADE (p. 146)

FROMAGE DE CHÈVRE FRAIS AU CANARD FUMÉ (p. 144)

FRUITS ASSAISONNÉS
ET FENOUIL EN SALADE

« L'assemblage des éléments décide de la délicatesse du plat. Y-a-t-il une hiérarchie ? Ne sert-on pas, parfois, un vin rouge avec du chocolat ? Et puis, que vont dire les gens assis à table si, maintenant, on assaisonne le sucré et que, par-dessus le marché, on arrive avec un croquant anisé ? Vos convives diront : « bravo ! »

POUR 4 PERSONNES

Temps de préparation : 20 minutes

2 mandarines

1 pamplemousse rose

12 litchis, décortiqués, dénoyautés et coupés en deux

30 g (2 c. à soupe) de pousses de maïs

30 g (2 c. à soupe) de petit cresson

120 g (1/2 tasse) de fenouil, râpé très fin

branches d'aneth pour décorer

Vinaigrette

45 ml (3 c. à soupe) d'huile d'olive

1/2 citron (le jus)

15 g (1 c. à soupe) d'échalotes, hachées

5 g (1 c. à thé) d'aneth, haché

sel et poivre du moulin

Préparer la vinaigrette en mélangeant tous les ingrédients.

Peler les mandarines et le pamplemousse à vif. Retirer les sections et les couper en tranches fines.

Dans le fond d'une assiette, disposer harmonieusement les pousses de maïs et le cresson. Y superposer les tranches de fenouil, les sections de mandarines et de pamplemousse ainsi que les litchis.

Verser la vinaigrette sur le tout. Décorer avec l'aneth en branches.

Conseils :

Il est assez naturel de retrouver les fruits dans les desserts, et par le fait même, sucrés. De les assaisonner d'une vinaigrette à l'échalote et aneth leur donne une toute autre physionomie, un tout autre visage auxquels nous ne sommes pas habitués. Ajoutez à cela le croquant du fenouil et vous obtenez un plat tout à fait inusité.

Comment s'organiser :

- Faire ce plat vraiment à la dernière minute afin de capter toutes les subtilités..

Santé

Des fruits, des fruits et encore des fruits. Cette assiette est peu calorique. Elle est aussi riche en vitamines et en minéraux, nécessaires à l'organisme. Parlant de vitamines, les fruits sont notre plus précieuse source de vitamine C.

Quant au fenouil, on le dit apéritif, facilitant la digestion en limitant la fermentation intestinale et diurétique.

Le menu

Fruits assaisonnés et fenouil en salade

Escalope de flétan – gourganes à la coriandre fraîche – coulis de cresson et oseille (page 66)

Feuilles amandines – lait glacé au café (page 172)

LE CRU ET LE CUIT EN SALADE
SUC DE TOMATES

« Retrouver la sensation. Stimuler l'émotion sans bouleverser les accords. En respectant la bienséance. Par le simple, le beau. Le cru et le cuit. Allez toucher les gens avec une signature. »

POUR 4 PERSONNES

Temps de préparation : 30 minutes

Légumes cuits

Pois mange-tout

asperges vertes ou blanches selon la saison

jeunes poireaux

haricots verts ou jaunes

têtes de violon (en saison)

sel et poivre du moulin

Fines herbes

menthe, basilic, cerfeuil

Légumes crus

jeunes carottes

radis

fenouil

petits pois frais

brocoli

tomates cerises rouges et jaunes

sel et poivre du moulin

Suc de tomates

3 tomates

30 ml (2 c. à soupe) d'huile d'olive

1/2 citron (le jus)

4 bouquets de fines herbes noués avec une tige de ciboulette

fleur de sel et poivre d'Espelette

Pour les légumes cuits : Laver, équeuter et peler au besoin. Cuire les légumes quelques minutes dans une grande quantité d'eau salée en ébullition. Garder croquants. Rafraîchir à l'eau froide. Réserver.

Pour les légumes crus : Émincer les jeunes carottes, les radis, le fenouil. Conserver entier les petits pois frais. Mettre en bouquet le brocoli et en tranches les tomates cerises.

Pour le suc de tomates : Peler, épépiner et couper en quartiers les tomates. Passer au mélangeur avec l'huile d'olive et le jus de citron. Assaisonner.

Pour les fines herbes : Conserver les fines herbes entières ; éliminer seulement les grosses tiges.

Dans un bol, mélanger délicatement tous les légumes crus et cuits avec le suc de tomates. Disposer dans une assiette avec harmonie en jouant avec les volumes, les grosseurs et les formes.

Parsemer de la fleur de sel et du poivre d'Espelette. Décorer avec un petit bouquet d'herbes.

Conseils :

Le suc de tomates, c'est la tomate dans toute sa simplicité avec un minimum d'ingrédients ajoutés. De l'huile d'olive, du jus de citron, du sel et du poivre. Vous pourriez faire une autre sauce, en remplaçant la tomate par du jus de carottes. Tout autre chose dans le goût, mais aussi intéressant.

Le poivre d'Espelette est un poivre qui est principalement cultivé dans les pays basques, en France, dans la commune d'Espelette, entre autres. À la fin de l'été, les piments sont cueillis et enfilés en guirlande. Ils sèchent de la sorte sur les façades des maisons durant un ou deux mois.

Comment s'organiser :

- Trente minutes avant, préparer les légumes et cuire ceux qui nécessitent une cuisson.
- Par la suite, faire le suc de tomates et préparer les fines herbes.
- Au dernier moment, mélanger les légumes et dresser.

Santé

Des légumes, des légumes et encore des légumes. Une assiette pleine de vitamines C, de fibres, de minéraux et de bêtacarotène.

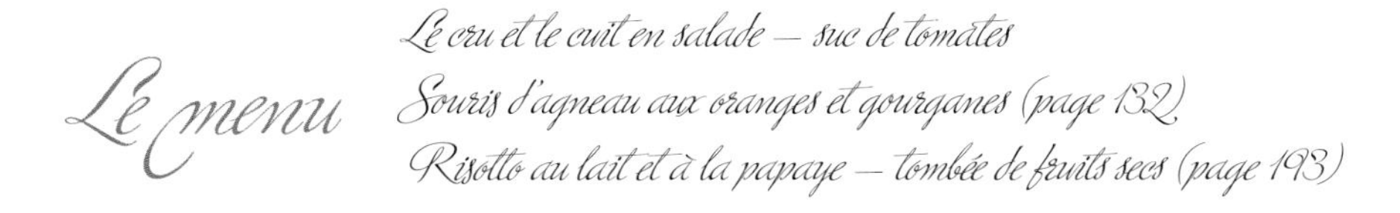

HARICOTS VERTS EN SALADE
ET FOIES DE VOLAILLE TIÈDES

« Je dois les faire danser. Ils ont l'air un peu ennuyeux ces haricots verts. Droits comme un fil, sérieux comme un pape. Tenter de les faire sortir de leurs gonds. Ils doivent sortir de leur bulle. Laissons-les se prendre au jeu. Ils vont finir par s'affirmer et par gagner. Douce revanche. »

POUR 4 PERSONNES

Temps de préparation : 30 minutes

180 g (3/4 de tasse) de haricots verts fins
2 endives
1 salade radicchio
12 foies de volaille
1 filet d'huile d'olive
5 g (1 c. à thé) de basilic, haché

Vinaigrette au basilic et oignons verts

45 ml (3 c. à soupe) d'huile d'olive
2 oignons verts, hachés
5 g (1 c. à thé) de basilic, haché
1/2 citron (le jus)
sel et poivre du moulin

Équeuter les haricots verts. Les plonger dans un grand volume d'eau bouillante salée et cuire quelques minutes à découvert. Éviter de trop cuire ; les haricots doivent demeurer croquants. Égoutter et rafraîchir à l'eau froide.

Effeuiller, laver et égoutter les endives et le radicchio.

Préparer la vinaigrette en mélangeant tous les ingrédients.

Parer les foies de volaille en retirant les parties nerveuses et verdâtres. Les couper en deux et les déposer dans un plat allant au four. Verser un filet d'huile d'olive sur les foies de volaille et parsemer de basilic haché. Réserver.

Dans le fond de chaque assiette, déposer harmonieusement les feuilles de radicchio et d'endives. Disposer les haricots verts au milieu.

À la dernière minute, cuire les foies de volaille sous le gril durant 2 à 3 minutes afin qu'ils demeurent rosés. Disposer aussitôt sur les haricots verts et napper de vinaigrette.

Servir aussitôt afin de consommer les foies tièdes.

Conseils :

La cuisson des foies de volaille pourrait se faire dans une poêle très chaude avec un filet d'huile et du basilic.

Comment s'organiser :

- Trente minutes avant, préparer et cuire les haricots verts. Puis, préparer les salades, les foies de volaille et la vinaigrette. Monter aussi l'assiette.
- Au dernier moment, cuire les foies de volaille, les dresser et verser la vinaigrette. Servir aussitôt.

Santé

Riche en fibres, le haricot vert cuit est une excellente source de potassium, de vitamines A, de fer et de cuivre. Pauvre en calories, il est aussi un légume digeste.

Le foie est l'abat qui possède le plus de qualités nutritionnelles. Il est riche en protéines, en fer, en vitamines A et B12. Pour augmenter l'absorption du fer, il est conseillé, pendant le repas, de manger un fruit riche en vitamine C.

Le menu

Haricots verts en salade et foies de volaille tièdes
Scampis à la vanille et pétales de fleurs (page 93)
Carpaccio de melon et coriandre – granité au muscat (page 165)

HARICOTS VERTS EN SALADE ET FOIES DE VOLAILLE TIÈDES (p. 148)

SALADE MÂCHE – ŒUF POCHÉ, VINAIGRETTE CÉSAR (p. 150)

SALADE MÂCHE — ŒUF POCHÉ, VINAIGRETTE CÉSAR

« La routine ne doit pas rentrer dans le quotidien de nos cuisines. Sans cesse, on doit être à la recherche de l'inusité, du différent. Penser autrement avec un œuf poché, avec une salade mâche. Repenser la vinaigrette César. Rester spontanément sur la brèche. »

POUR 4 PERSONNES

Temps de préparation : 20 minutes

- 2 œufs
- 1,5 l (6 tasses) d'eau
- 45 ml (3 c. à soupe) de vinaigre de vin rouge
- 1 filet d'huile d'olive
- 2 gousses d'ail, hachées
- 90 g (1/3 de tasse) de croûtons de pain
- 360 g (1 1/2 tasse) de salade mâche
- 60 g (1/4 de tasse) de parmesan, râpé

Vinaigrette César

- 160 ml (2/3 de tasse) d'huile d'olive
- 2 gousses d'ail
- 1/2 citron (le jus)
- 1/2 branche de céleri
- 2 filets d'anchois
- sel et poivre du moulin

Pocher les œufs : dans une casserole, amener l'eau à ébullition et ajouter le vinaigre de vin. Baisser le feu pour obtenir un frémissement régulier. Casser les œufs un à un, d'abord dans une tasse et sans briser le jaune. Verser ensuite les œufs dans l'eau frémissante et laisser pocher 3 à 4 minutes. Pour aider au pochage des œufs, vous pouvez ramener délicatement le blanc autour du jaune à l'aide d'une spatule. Sortir les œufs de l'eau avec une écumoire et déposer sur un linge. Laisser refroidir ou servir tièdes.

Préparer la vinaigrette en passant tous les ingrédients au mélangeur. Laisser tourner afin d'obtenir une consistance de vinaigrette crémeuse (comme une César traditionnelle). Réserver.

Préparer les croûtons à l'ail : chauffer un filet d'huile d'olive dans une poêle anti-adhésive. Ajouter l'ail haché, puis les croûtons. Faire dorer 5 minutes. Déposer sur un papier absorbant.

Laver la salade mâche en coupant d'abord la base afin de retirer les feuilles abîmées, sans défaire les bouquets. Laver ceux-ci dans plusieurs eaux afin d'éliminer le sable. Égoutter.

Dresser l'assiette en faisant un buisson de mâche. Déposer les œufs pochés, les croûtons à l'ail et le parmesan râpé. Puis, verser la vinaigrette.

Conseils :

La mâche, que l'on appelle aussi « doucette » est tendre et a une saveur fine. Certaines variétés ont un goût de noisette. Si elle est vieille, elle devient amère. Lavez-la soigneusement, car elle est habituellement cultivée en sol sablonneux. Procédez délicatement et ne laissez pas les feuilles trempées. Asséchez-les soigneusement ; les feuilles de la salade mâche ne se conservent pas très longtemps.

Comment s'organiser :

- Trente minutes avant, pocher les œufs. Puis, faire la vinaigrette, les croûtons à l'ail et laver la salade mâche.
- Au dernier moment, dresser l'assiette, verser la vinaigrette et servir aussitôt.

Santé

Les éléments nutritifs de l'œuf se répartissent inégalement entre le blanc et le jaune. Le blanc fournit un peu plus de la moitié des protéines et la plus grande partie du potassium et de la riboflavine. Quant au jaune, il contient les vitamines A et D, la plupart des vitamines et minéraux, les trois-quarts des calories et la totalité des matières grasses.

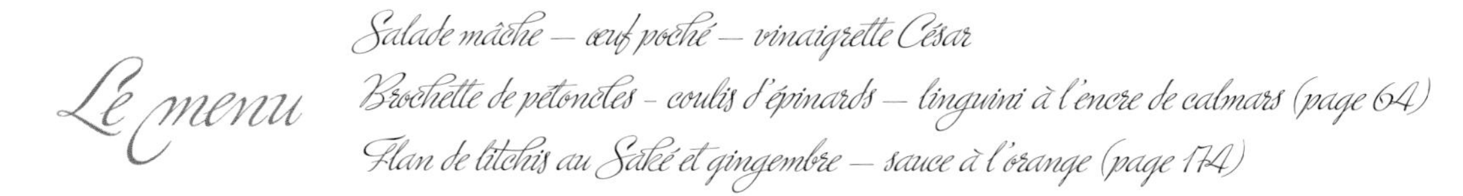

MELON, FINES HERBES ET CRABE EN SALADE

« Graines de saveurs — j'aime les fines herbes. Elles sont l'odeur, le bonheur des sens. À la dernière seconde, dans ma casserole, c'est mon secret. Je les aime fortes, sensibles, tendres et parfois enveloppantes. Elles ont chacune leurs amis, de l'entrée au dessert. Elles les enjolivent. Elles sont mon quotidien. Excusez-moi, je vais les rejoindre sur mon toit, car elles sont aussi ma thérapie. »

POUR 4 PERSONNES

Temps de préparation : 20 minutes

180 g (3/4 de tasse) de crabe, décortiqué

1/2 melon (cantaloup)

1/2 melon de miel

60 ml (1/4 de tasse) d'huile d'olive

1/2 citron (le jus)

30 g (2 c. à soupe) de mini arugula

4 tranches de melon d'eau

30 g (2 c. à soupe) de fines herbes, hachées : cerfeuil, basilic, ciboulette

sel et poivre du moulin

Peler et couper les demi-melons en fines franches. Superposer les tranches en alternant les couleurs et couper en gros cubes. Réserver.

Récupérer les restes de la chair du cantaloup. À l'aide d'un pied mélangeur, mettre en purée la chair récupérée. Y additionner l'huile d'olive, la moitié des herbes et le jus de citron. Saler et poivrer.

Dans un bol, mélanger délicatement le crabe et l'autre moitié des fines herbes.

Couper en quatre carrés les tranches de melon d'eau et les disposer dans le fond de chaque assiette. Dresser le mélange de chair de crabe. Coiffer d'un cube de melons. Verser la vinaigrette sur le montage et ajouter un filet d'huile autour. Terminer l'assiette en décorant de mini arugula.

Conseils :

La famille des crabes comprend environ 4 000 espèces. Les plus connues sont le crabe bleu, le tourteau, l'étrille, l'araignée de mer, le crabe dormeur, le crabe mou et le crabe des neiges. Ce dernier est celui qui nous arrive en saison sur les étals des poissonniers.

Oubliez le « simili » crabe. La chair de crabe, que l'on peut acheter cuite et congelée est, en général, de très bonne qualité.

Comment s'organiser :

- Trente minutes avant, tailler les melons, puis préparer la vinaigrette.
- À la dernière minute, mélanger le crabe et les fines herbes, puis dresser l'assiette avec les autres ingrédients. Terminer avec la vinaigrette.

Santé

La chair de crabe est riche en vitamine B12 (antianémique), en cuivre et en zinc.

Le melon est très riche en provitamine A. Il apporte aussi de la vitamine C. Sa forte teneur en potassium, alliée à un faible taux de sodium lui confère des propriétés diurétiques.

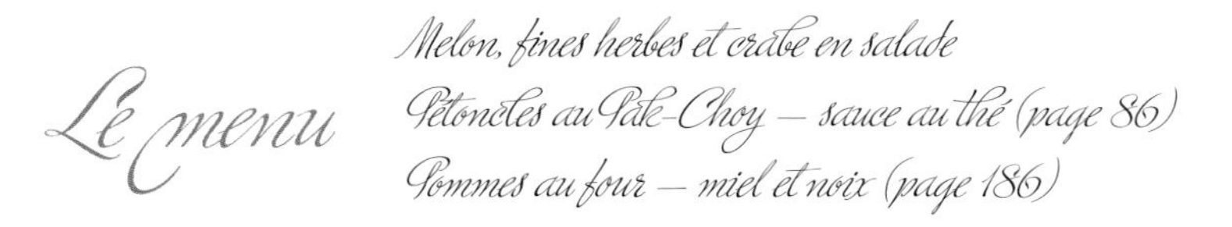

SALADE GRECQUE — CHIPS D'AIL

« J'aime la façon rapide d'aller au produit. D'user d'un thème comme la Grèce. C'est comme partir à un rendez-vous avec un bouquet de roses, la fleur à la boutonnière. La terre d'un pays ne peut se tromper lorsqu'on parle de nourriture. La démarche désinvolte, le sourire écarlate. C'est gagné d'avance. Une signature avec ça : les chips d'ail. »

POUR 4 PERSONNES

Temps de préparation : 25 minutes

60 g (1/4 de tasse) de haricots jaunes

60 g (1/4 de tasse) de haricots verts

90 g (1/3 de tasse) de tomates cerises rouges

90 g (1/3 de tasse) de tomates cerises jaunes

1 concombre, non pelé, épépiné, coupé en brunoise

180 g (3/4 de tasse) de fromage Feta, coupé en quatre portions égales

240 g (1 tasse) d'olives Kalamata, dénoyautées et coupées en deux

24 petites feuilles de salade romaine

Vinaigrette

60 ml (3 c. à soupe) d'huile d'olive

1 citron (le jus)

5 g (1 c. à thé) d'échalote, hachée

5 g (1 c. à thé) de basilic, haché

5 g (1 c. à thé) d'ail, haché

sel et poivre du moulin

Chips d'ail

8 gousses d'ail

Préparer les chips d'ail : couper l'ail en tranches très fines, dans le sens de la longueur. Les déposer sur une plaque et les laisser se déshydrater dans un four ou une étuve à 40° C (90° F) pendant 12 à 14 heures. Lorsqu'elles sont desséchées, déposer les chips d'ail dans un récipient hermétique à la température ambiante (elles peuvent se conserver une semaine).

Faire la vinaigrette en mélangeant tous les ingrédients.

Blanchir les haricots jaunes et verts dans l'eau bouillante pendant 2 minutes. Égoutter, rafraîchir et réserver.

Trancher les tomates cerises.

Égoutter le fromage Feta et le couper en dés.

Dans un bol, mélanger délicatement tous les légumes, les olives et la vinaigrette.

Tailler les feuilles de laitue romaine en gros morceaux et les déposer dans le fond d'une assiette et y placer le fromage Feta et les légumes. Parsemer de chips d'ail.

Conseils :

Il est curieux de constater, qu'au fil des temps, cette salade est devenue un classique. J'allais ajouter : de la cuisine française. Elle rassemble évidemment des ingrédients grecs, et parmi ceux-là, les olives et le fromage Feta.

L'olive verte est cueillie un peu avant maturation, l'olive blonde est cueillie pendant la période de maturité et l'olive noire sèche directement sous l'arbre, lorsqu'elle tombe. Les principales variétés d'olives de tables grecques sont la « Volos » utilisée pour la production des olives vertes et noires et la « Kalamata » — très connue chez nous — utilisée presque exclusivement ici.

Le fromage Feta, le plus connu des fromages grecs, est une pâte de lait de chèvre ou de brebis caillée, puis salée et conservée dans une saumure.

Comment s'organiser :

- La veille, faire les chips d'ail.
- Trente minutes avant, préparer séparément tous les ingrédients et faire la vinaigrette.
- Au dernier moment, monter la salade.

Santé

L'ail est réputé pour ses diverses propriétés médicinales depuis fort longtemps. On dit qu'il peut améliorer la fluidité du sang, abaisser le taux de cholestérol et lutter contre l'hypertension artérielle.

Le menu

Salade grecque – chips d'ail

Médaillons de lotte en piperade (page 82)

Mangue et chocolat – sauce à l'avocat (page 179)

SALADE DE HOMARD AU CHOU DE SAVOIE
VINAIGRETTE À L'ORANGE

« On lui a donné des noms comme « le prince de la mer » ou « le roi des océans » et que sais-je encore. Cette poésie qu'on lui prêtait tenait plus à une mode, à un style d'écriture. Car, finalement, le homard n'en demandait pas autant. Juste une bonne cuisson, après une bonne vie passée dans les fonds marins. Lorsqu'un homard intervient dans un plat, il ne nage plus dans un dialogue pompeux, mais il offre un axe franc. »

POUR 4 PERSONNES

Temps de préparation : 30 minutes

2 homards d'environ 675 g (1 1/2 lb) chacun

1 petit chou de Savoie

2 oranges

Vinaigrette à l'orange

45 ml (3 c. à soupe) de jus d'orange

1 citron (le jus)

45 ml (3 c. à soupe) d'huile d'olive

5 g (1 c. à thé) de moutarde de Dijon

quelques brins de ciboulette, hachée

sel et poivre du moulin

Préparer la vinaigrette en mélangeant tous les ingrédients.

Cuire les homards dans l'eau bouillante salée pendant 15 minutes.

Retirer les feuilles externes du chou. Effeuiller le chou et retirer les grosses côtes des feuilles. Couper les feuilles en lanières et les plonger 5 minutes dans l'eau bouillante salée. Passer sous l'eau froide ; bien égoutter. Assaisonner les lanières de chou avec un tiers de la vinaigrette.

Peler et découper les oranges en quartiers.

Décortiquer les homards. Couper les queues en médaillons ; casser les pinces et récupérer la chair. Badigeonner les morceaux de homard de vinaigrette.

Disposer le chou dans l'assiette. Ajouter les quartiers d'orange et disposer les morceaux de homard sur le dessus.

Servir accompagné du reste de la vinaigrette versée dans une saucière.

Conseils :

Surtout, ne cuisez pas trop le homard, il perdrait alors de sa saveur et deviendrait caoutchouteux. Gardez aussi le chou vraiment croquant. Lorsque vous le retirez de l'eau bouillante, plongez-le aussitôt dans l'eau froide pour arrêter la cuisson et conserver sa couleur verte.

L'orange se marie bien avec les crustacés.

Comment s'organiser :

- Trente minutes avant, cuire le homard. Pendant ce temps, préparer le chou, la vinaigrette et les oranges.
- Au dernier moment, dresser l'assiette et décorer.

Santé

Le homard est riche en potassium, en zinc et en niacine. La queue renferme plus d'éléments nutritifs que les pinces. Il est vrai que ce crustacé contient du cholestérol, mais pas plus que le bœuf comparativement à la même quantité.

Le chou est une bonne source de vitamine C et de potassium. Certaines études tendent à prouver que le chou est anticancérigène.

Le menu

Salade de homard au chou de Savoie — vinaigrette à l'orange

Côte de veau au miel — pommes à la ciboulette et chou rouge (page 108)

Crème brûlée au basilic — et tomates confites (page 168)

les desserts

FEUILLANTINES DE POIRES AU VIN ROUGE
SORBET AUX FRAISES

« L'été, au début de l'après-midi, la lumière semble dormir sur les salades. Mon grand-père a l'habitude de faire sa sieste avant de reprendre le travail du jardin. Un escabeau s'appuie contre le poirier. Quelques fruits sont tombés dans la petite allée, grugée petit à petit par les plantations. Il fait chaud, c'est l'heure du soleil, de l'immobilité. Mon grand-père dort dessous le poirier. »

POUR 4 PERSONNES

Temps de préparation des fruits : 25 minutes — Temps de cuisson et sauce : 30 minutes

4 poires (Williams de préférence)

500 ml (2 tasses) de vin rouge corsé

2 clous de girofle

1/2 bâton de cannelle

90 g (1/3 de tasse) de sucre

1 orange (le zeste)

2 étoiles d'anis

4 feuilles de pâte filo

15 g (1 c. à soupe) de beurre doux, clarifié

4 feuilles de menthe fraîche pour décorer

Gelée de pommes au cassis

3 pommes à cuire

45 ml (3 c. à soupe) de sirop d'érable

une larme de liqueur de cassis

30 g (2 c. à soupe) de gélatine en poudre

45 ml (3 c. à soupe) d'eau

Porter à ébullition le vin rouge avec les clous de girofle, le bâton de cannelle, le sucre, le zeste d'orange et les étoiles d'anis. Laisser réduire 5 minutes.

Peler et épépiner les poires par le dessous à l'aide d'une cuillère à parisienne. Les plonger dans le vin épicé et cuire une quinzaine de minutes à petit bouillon. Retirer les poires à l'aide d'une écumoire et faire réduire le vin jusqu'à l'obtention d'environ 125 ml (1/2 tasse) d'un liquide sirupeux.

Préparer la gelée de pommes au cassis : Faire gonfler la gélatine dans l'eau pendant 2 minutes. Peler, épépiner et couper les pommes en morceaux. Les déposer dans une casserole avec le sirop d'érable, la liqueur de cassis et la gélatine. Cuire jusqu'à l'obtention d'une compote. Au besoin, passer au mélangeur. Verser dans une lèchefrite et laisser prendre.

Préparer les feuillantines : superposer deux feuilles de pâte filo. À l'aide d'un pinceau, y étendre le beurre clarifié. Renouveler l'opération deux autres fois. Avec un emporte-pièce ou une quelconque forme ronde d'environ 10 cm (4 po) de diamètre (ex. un verre), découper des cercles. Les déposer sur une plaque à pâtisserie et cuire au four à 200° C (400° F) environ 5 minutes, jusqu'à l'obtention d'une coloration dorée.

Placer une feuillantine dans le fond de chaque assiette. Tailler la gélatine de pommes au cassis et les diviser dans les assiettes. Couper les poires en cubes en gardant la tête pour décorer et les placer sur la compote. Verser la réduction de vin rouge autour et quelque peu sur les poires. Décorer avec de la menthe verte et les têtes de poires.

Conseils :

J'ai essayé de pocher les poires avec du vin blanc sec au lieu du vin rouge. Le résultat est étonnamment... bon. Vous pourriez aussi utiliser moitié vin blanc et moitié Muscat ou trois quarts de vin rouge et un quart de Porto.

Près de la ville de Québec, nous avons l'Île d'Orléans où l'on retrouve le fruit de cassis, que l'on transforme en excellent vin liquoreux ou sirop. Une touche dans la compote de pommes fera toute la différence.

On peut remplacer la pâte filo par de la pâte feuilletée.

Comment s'organiser :

- Une heure avant, pocher les poires et, après la cuisson, réduire le jus. Pendant la cuisson et la réduction, faire la compote de pommes au cassis et les feuillantines.
- Dresser à la dernière minute.

159

Santé

La poire contient des fibres en bonne quantité. Elle est aussi riche en potassium, en cuivre, en fer et en vitamine C.

Haricots verts en salade et foies de volaille tièdes *(page 148)*

Escalope de flétan — gourganes à la coriandre fraîche — coulis de cresson et oseille *(page 66)*

Feuillantines de poires au vin rouge — gelée de pommes au cassis

BANANES SAUTÉES AU POIVRE D'ESPELETTE
GRANITÉ DE POMMES

« J'aime le chaud et le froid. Les bords de mer et les cimes enneigées. Les côtes vendéennes et le mont Ste-Anne. Les fourneaux du saucier et le frais du garde-manger. J'aime aussi quand ils se mélangent. Quand ils s'amalgament, pour mieux se compléter. Quand, sur le palais, ils ne font qu'un. »

POUR 4 PERSONNES

Temps de préparation : 30 minutes

4 bananes coupées en biais, en rondelles de 2,5 cm (1 po) d'épaisseur

1 grenade ou fruit de la passion

2 feuilles de pâte filo

30 g (2 c. à soupe) de sucre à glacer

poivre d'Espelette

Granité de pommes

2 pommes pelées, épépinées et coupées en petits morceaux

60 g (1/4 de tasse) de sucre

1 citron (le jus)

250 ml (1 tasse) de jus de pomme

250 ml (1 tasse) d'eau gazéifiée (eau Perrier)

Préparer le granité : mettre dans une casserole les morceaux de pommes, le sucre, le jus de citron et le jus de pomme. Cuire 5 minutes. Verser dans un mélangeur et broyer quelques minutes. Ajouter l'eau Perrier. Verser sur une plaque et laisser prendre au congélateur pendant quelques heures. Gratter de temps en temps à l'aide d'une fourchette afin de former des paillettes.

Préparer les bananes : déposer les rondelles de bananes dans une poêle antiadhésive. Saupoudrer de sucre à glacer et de poivre d'Espelette. Laisser caraméliser. Garder au chaud.

Préparer les coupoles : couper la pâte filo en quatre rectangles. Confectionner des coupoles en pliant la pâte et en pinçant la base. Déployer le haut des coupoles et saupoudrer de sucre à glacer. Mettre au four quelques minutes à 200° C (400° F) afin d'obtenir une belle coloration.

Couper la grenade ou le fruit de la passion en deux et l'égrainer.

Dans le fond de chaque assiette, déposer une coupole. Puis, ajouter les tranches de bananes et les graines de grenade. Terminer avec le granité de pommes.

Conseils :

Le poivre d'Espelette est un poivre qui est principalement cultivé dans les pays basques, en France. Dans la commune d'Espelette, entre autres, mais aussi dans quelques autres communes autour. À la fin de l'été, les piments sont cueillis et enfilés en guirlande. Ils sèchent de la sorte sur les façades des maisons durant un ou deux mois.

Remis au goût du jour dans les dernières années, le piment d'Espelette est particulier, plus goûteux et plus subtil. Il est aussi beaucoup moins fort que le piment de Cayenne, par exemple. Essayez-le, vous le trouverez dans la plupart des épiceries fines.

Comment s'organiser :

- La veille, faire le granité.
- Trente minutes avant, préparer les éventails de pâte filo.
- Quinze minutes avant, faire cuire les bananes.
- Dresser au dernier moment..

Santé

Les glucides se modifient pendant que la banane mûrit. D'abord sous forme d'amidon peu digestible, pour se transformer graduellement en fructose, glucose et saccharose. La banane est donc nourrissante. Elle est riche en potassium et en magnésium, qui préviennent les crampes. C'est en partie pour cette raison que les sportifs l'affectionnent. En revanche, la banane contient peu de vitamine C.

Le menu

Le cru et le cuit en salade – suc de tomates *(page 147)*

Escalopes de saumon au vinaigre balsamique caramélisé au sirop d'érable – pommes rattes rissolées *(page 68)*

Bananes sautées au poivre d'Espelette – granité de pommes

BROCHETTE D'ANANAS ET PAPAYE SUR GOUSSE DE VANILLE
SORBET AUX FRAISES

« Le mot ananas est dérivé de « nana » qui signifie « parfumé » dans la langue des Indiens Guaranis du Paraguay. Les Espagnols la nomment « piňa » pour sa ressemblance à une pomme de pin, ainsi que les Anglais pour qui ce fruit est un « pineapple ». Moi, ce fruit, je voulais seulement l'embrocher et pas avec n'importe quoi ! La broche par excellence : la vanille pour son parfum luxuriant. »

POUR 4 PERSONNES

Temps de préparation : 15 minutes

1/2 ananas
1 papaye
16 cerises
8 dattes fraîches, dénoyautées
8 gousses de vanille
125 ml (1/2 tasse) de sirop d'érable
quelques feuilles de menthe pour décorer

Sorbet aux fraises
454 g (1 lb) de fraises
30 g (2 c. à soupe) de sucre
1 blanc d'oeuf
1/2 citron (le jus)

Préparer le sorbet : équeuter les fraises et couper en deux les plus grosses. Les étendre sur une plaque et faire congeler. Mettre les fraises congelées et tous les autres ingrédients dans un mélangeur. Broyer jusqu'à obtenir une pâte congelée. Conserver au congélateur.

Peler l'ananas et la papaye et les couper en cubes. Embrocher chaque morceau de fruit incluant les cerises et les dattes en alternance, sur la gousse de vanille.

Verser le sirop d'érable dans une poêle et y déposer les brochettes. Laisser mijoter 5 minutes, le temps que la vanille infuse le tout.

Déposer deux brochettes dans chaque assiette. Napper de sauce et ajouter une quenelle de sorbet aux fraises. Décorer d'une feuille de menthe.

Conseils :

En utilisant la gousse de vanille en guise de brochette, mis à part l'originalité de la présentation, on apporte aux fruits une saveur très parfumée et délicate.

Je n'ai pu m'empêcher d'utiliser le sirop d'érable pour faire mijoter les brochettes. Vous pourriez aussi le remplacer par du miel ou simplement du sucre brun.

Éviter d'acheter une papaye dure et très verte ; elle a été cueillie trop tôt et sa saveur est quelconque.

Comment s'organiser :

- Dans la journée, faire le sorbet aux fraises.
- Quinze minutes avant, préparer les brochettes.
- Au dernier moment, mijoter les brochettes et dresser avec le sorbet.

Santé

Pauvre en calories, l'ananas est un excellent stimulant, car il est riche en vitamine C, en potassium et en magnésium. On le dit diurétique et désintoxiquant.

La papaye est aussi une excellente source de vitamines A et C.

Le menu

Flan de légumes — purée de petits pois *(page 26)*
Noisettes de lapin à l'origan — tombée d'endives et marrons *(page 124)*
Brochette d'ananas et papaye sur gousse de vanille — sorbet aux fraises

BROCHETTE D'ANANAS ET PAPAYE SUR GOUSSE DE VANILLE — SORBET AUX FRAISES (p. 162)

PETITS FRUITS À LA CARDAMOME — SORBET AUX FRAISES (p. 164)

PETITS FRUITS À LA CARDAMOME
SORBET AUX FRAISES

« Avec lenteur et persévérance, ils ont mûri l'un derrière l'autre. Les petits fruits sont à leur manière une gamme en crescendo. Des premiers clins d'œil de nos courts étés. Ils ont connu les marchés à l'ambiance tranquille du printemps, jusqu'au tumulte des grandes récoltes. De l'acide au plus sucré, résonne en eux ce sentiment de puissance de la nature. »

POUR 4 PERSONNES

Temps de préparation des fruits : 15 minutes — Temps de préparation du sorbet : 15 minutes

180 g (3/4 de tasse) de bleuets
180 g (3/4 de tasse) de framboises
180 g (3/4 de tasse) de mûres
180 g (3/4 de tasse) de fraises
15 g (1 c. à soupe) de sucre
120 g (1/2 tasse) d'amandes, effilées
1 orange (le jus et le zeste)
1 citron (le jus et le zeste)
5 g (1 c. à thé) de graines de cardamome

Sorbet aux fraises

454 g (1 lb) de fraises
30 g (2 c. à soupe) de sucre
1 blanc d'œuf
1/2 citron (le jus)

Préparer le sorbet : équeuter les fraises et couper en deux les plus grosses. Les étendre sur une plaque et faire congeler. Mettre les fraises congelées et tous les autres ingrédients dans un mélangeur. Broyer jusqu'à obtenir une pâte congelée. Conserver au congélateur.

Nettoyer les petits fruits. Dans une cocotte, y déposer les fruits, le sucre, les amandes, les zestes et les jus ainsi que les graines de cardamome. Couvrir et cuire au four à 200° C (400° F) pendant 8 à 10 minutes.

Dès la sortie du four, retirer délicatement les fruits, les répartir dans les assiettes et déposer une quenelle de sorbet aux fraises. Servir aussitôt.

Conseils :

En capsules, en graines entières ou en graines moulues, la cardamome a ce goût particulièrement fort, citronné et parfumé. Elle rehausse aussi bien les plats sucrés que les plats salés. C'est une épice abondamment utilisée dans tout le Moyen-Orient. On s'en sert également pour parfumer les infusions.

N'hésitez pas à changer les variétés de petits fruits selon la disponibilité.

Comment s'organiser :

- Quelques heures avant, préparer le sorbet.
- Dix minutes avant, enfourner les fruits. Puis, les sortir du four, déposer la quenelle de sorbet et servir aussitôt.

Santé

Ce plat est une concentration de fruits très peu caloriques. Ils apportent principalement des vitamines, des minéraux et des fibres.

Le menu

Huîtres farcies au crabe (page 30)
Foie de veau saisi — compote d'oignons vinaigrette aux épices — salade mesclun (page 120)
Petits fruits à la cardamome — sorbet aux fraises

CARPACCIO DE MELON ET CORIANDRE
GRANITÉ AU MUSCAT

« Carpaccio : n'est-ce pas le poisson, le crustacé ou la viande crue coupée finement et déposée dans le fond de l'assiette avec quelques assaisonnements ? Oui, c'est ça. Un produit frais : un melon (charantais, si vous pouvez), un assaisonnement : citron, coriandre, gingembre (juste un peu) et poivre noir. Ah ! j'oubliais : un granité de Muscat (un bon !). Finalement, c'est beaucoup plus qu'un carpaccio. »

POUR 4 PERSONNES

Temps de préparation : 30 minutes

1/2 melon cantaloup ou charentais

1/2 melon de miel

2 citrons verts (les zestes)

bouquet de coriandre

Sirop

250 ml (1 tasse) d'eau

60 g (1/4 de tasse) de sucre

15 g (1 c. à soupe) de gingembre, frais râpé

2 tours de moulin à poivre noir

Granité au Muscat

125 ml (1/2 tasse) d'eau

30 g (2 c. à soupe) de sucre

375 ml (1 1/2 tasse) de Muscat

Préparer le granité : porter à ébullition l'eau avec le sucre. Cuire jusqu'à l'obtention d'un sirop et laisser refroidir. Incorporer le Muscat, mélanger et verser sur une plaque. Mettre deux heures au congélateur, puis fouetter le granité afin qu'il forme des paillettes. Remettre au congélateur encore deux heures.

Couper en deux, épépiner et peler les demi-melons. Trancher chaque quartier en lamelles fines. Disposer par couleur dans chaque assiette. Parsemer des zestes de citron vert et de la moitié de la coriandre coupée en julienne

Préparer le sirop : amener l'eau à ébullition. Incorporer le sucre, le gingembre et deux tours de moulin de poivre noir. Enlever du feu et ajouter le reste de la coriandre. Laisser infuser 15 minutes. Passer dans une passoire.

Verser le sirop sur le melon. Poser au centre le granité de Muscat. Servir aussitôt.

Conseils :

Il y a les melons d'hiver, dont le Honeydew que l'on connait bien, et il y a les melons d'été comme le cantaloup et le melon brodé. Ce dernier tient son appellation de son écorce qui est recouverte de lignes sinueuses rappelant une broderie en relief. Tous ces melons brodés, très savoureux, portent souvent le nom de leur lieu de culture (Cavaillon, Charente, Touraine). Ils ont bercé mon enfance.

Comment s'organiser :

- La veille, faire le granité et le conserver au congélateur.
- Une heure avant, préparer les assiettes de tranches de melon avec la garniture et garder le tout au frais. Puis, faire le sirop et le laisser refroidir. Dresser au dernier moment.

Santé

Le melon est très riche en provitamine A. Il a donc des vertus antioxydantes. Aussi, il contient une bonne source de vitamine C et de potassium. Il est également pauvre en calories.

Galette à la persillade de champignons — jambon cru (page 28)
Scampis à la vanille et pétales de fleurs (page 93)
Carpaccio de melon et coriandre — granité de Muscat

CHIPS DE POMMES EN ÉCAILLES
SORBET DE BLEUETS ET COULIS DE POMMES

« Bleuet ou myrtille. Nous savons que les gens du Saguenay-Lac-St-Jean ont raison. Un bleuet, par définition, existe seulement dans cette région. Les meilleures tartes de ce fruit viennent aussi de là-bas. On dit même que, parfois, les bleuets y sont tellement gros qu'un seul suffit pour faire une tarte. Laissons aux Français leurs myrtilles mais, s'il-vous-plaît, pas de comparaison. On évitera « la chicane dans la cabane ». De toute façon, tous sont des airelles. »

POUR 4 PERSONNES

Temps de préparation : 30 minutes

Chips aux pommes

2 pommes Granny Smith

1 citron

15 g (1 c. à soupe) de sucre à glacer

Sorbet de bleuets

454 g (1 lb) de bleuets, congelés

15 g (1 c. à soupe) de sucre

1 blanc d'œuf

1/2 citron (le jus)

Coulis de pommes

2 pommes Spartan ou Cortland

250 ml (1 tasse) de jus de pomme

15 g (1 c. à soupe) de sucre

Préparer les chips de pommes : couper les pommes en deux en conservant la pelure. Les couper ensuite en minces rondelles (le plus mince possible). Frotter chaque rondelle de pomme avec le citron. Les étaler sur une plaque, préalablement tapissée de papier sulfurisé. Saupoudrer de sucre à glacer et faire sécher au four à 120° C (250° F) durant une heure. À la sortie du four, disposer les rondelles à l'intérieur d'un emporte-pièce et conserver dans un endroit sec ou dans une boîte hermétique.

Préparer le sorbet de bleuets : passer au mélangeur les bleuets congelés, le sucre, le blanc d'œuf et le jus de citron. Broyer jusqu'à obtenir une pâte gelée. Conserver au congélateur.

Préparer le coulis de pommes : peler les deux pommes, les couper en quatre et les épépiner. Cuire doucement dans une casserole afin d'obtenir une compote. Passer au mélangeur et laisser refroidir. Dans un bol, mélanger la compote, le jus de pomme et le sucre.

Dresser les pommes séchées dans une assiette. Y déposer deux quenelles de sorbet. Verser le coulis de pommes autour.

Conseils :

Il existe des déshydrateurs domestiques. Évidemment, ceci pourrait être un investissement futile compte tenu du peu d'ingrédients que l'on déshydrate quotidiennement à la maison. Cette opération peut se faire facilement dans un four conventionnel avec quelques précautions. Utiliser un papier sulfurisé ou des feuilles antiadhésives pour déposer le produit afin qu'il ne colle pas. Ne pas avoir un four trop chaud : déshydrater, c'est dessécher, retirer une grande partie de l'eau d'un aliment et non le cuire. Aussi, il ne faut pas trancher l'aliment trop épais.

Vous pourriez faire des chips de poires, de pêches ou d'ananas pour remplacer les chips de pommes.

Comment s'organiser :

- Dans la journée, faire les chips de pommes et le sorbet de bleuets.
- Une heure avant, préparer le coulis de pommes et le laisser refroidir.
- Dresser à la dernière minute.

Santé

La pomme est une source de potassium et de vitamine C. Elle contient des pectines qui aident à réduire le « mauvais » cholestérol sanguin (LDL). La majeure partie des nutriments se logent sous la pelure de la pomme. C'est pourquoi, nous devrions la consommer avec la pelure, autant que possible.

Le bleuet est une source de vitamine C, de potassium, de sodium et de fibres.

Le menu

Salade de homard au chou de Savoie — vinaigrette à l'orange (page 154)
Cuisse de canard mijotée aux pruneaux et petits navets —
jus à l'amertume de cacao (page 110)
Chips de pommes en écailles — sorbet de bleuets et coulis de pommes

CRÈME BRÛLÉE AU BASILIC
ET TOMATES CONFITES

« Je sais, je sais, une autre crème brûlée. Arrêtez-vous une seconde. Ce n'est pas n'importe laquelle. Basilic et tomates confites. Est-on certain d'être dans un dessert ? La tomate confite s'est transformée en un cuir moelleux pour mieux conquérir, faire la cour au basilic. Le sucre en sera très impressionné. Heureux mélange des genres. Vous voyez, parfois, on ne sait pas. »

POUR 4 PERSONNES

Temps de préparation : 30 minutes — Temps de cuisson : 40 minutes

500 ml (2 tasses) de lait 2 %

60 g (1/4 de tasse) de sucre

4 jaunes d'œufs

15 g (1 c. à soupe) de basilic, haché

30 g (2 c. à soupe) de cassonade

Tomates confites

200 g (3/4 de tasse) de tomates, pelées, épépinées et coupées en dés

60 g (1/4 de tasse) de sucre

du poivre noir

Préparer les tomates confites : dans une casserole antiadhésive, cuire les tomates en dés pendant 5 minutes. Ajouter le sucre, le poivre et laisser caraméliser. Réserver.

Porter le lait et le basilic à ébullition. Fouetter le sucre avec les jaunes d'œufs et y verser le lait bouillant toujours en fouettant.

Répartir les dés de tomates au fond d'une assiette creuse. Remplir avec la préparation de crème brûlée.

Cuire au four à 150° C (300° F) pendant 40 minutes. Sortir du four, laisser refroidir et garder au réfrigérateur pendant 2 heures.

Au moment de servir, sortir les crèmes brûlées du réfrigérateur. Essuyer la surface avec du papier absorbant afin d'enlever l'humidité qui s'est formée au réfrigérateur. Saupoudrer de cassonade et faire caraméliser les crèmes quelques instants sous le gril du four ou à l'aide d'un chalumeau.

Conseils :

La crème brûlée — devenue « grand classique » devant l'éternel – a été faite à toutes les sauces. Je vous encouragerais néanmoins à essayer cette version.

Je crois que le secret d'une bonne crème brûlée réside dans la cuisson.

Il existe sur le marché de petits chalumeaux très efficaces pour brûler le caramel des crèmes brûlées.

Si vous manquez de temps, vous pourriez éviter de garder les crèmes brûlées pendant deux heures au réfrigérateur. Dans ce cas, faire seulement tiédir et caraméliser. Elles seront aussi succulentes.

Comment s'organiser :

- Quelques heures avant, préparer le mélange de la crème brûlée et cuire 40 minutes. Laisser ensuite deux heures au réfrigérateur.
- Au dernier moment, caraméliser et servir.

Santé

Les jaunes d'œufs contiennent des vitamines A et D. On y retrouve les trois-quarts des calories et la totalité des matières grasses de l'œuf. Le jaune est aussi riche en acides gras saturés et en cholestérol. En résumé, mangez des crèmes brûlées avec modération.

Le basilic serait antispasmodique, antiseptique, tonique et stomachique.

Le menu

Tourte aux poireaux, épinards et foies de volaille (page 40)

Risotto d'épeautre aux moules — coriandre et Migneron (page 89)

Crème brûlée au basilic et tomates confites

CRÈME BRÛLÉE AU BASILIC ET TOMATES CONFITES (p. 168)

CRÈME RENVERSÉE AU THÉ, FENOUIL CARAMÉLISÉ (p. 170)

CRÈME RENVERSÉE AU THÉ
FENOUIL CARAMÉLISÉ

« La crème renversée fait partie de ces plats d'examens, lorsque jeune cuisinier, vous êtes devant l'examinateur qui inspecte la « renversée » stratégique. L'angoisse vous serre la poitrine, le cœur bat la chamade. Va-t-elle se démouler ? Va-t-elle s'affaisser dans le fond de l'assiette ? La crème aura-t-elle des bulles – résultat d'une cuisson trop forte ? Ouf ! La voilà dans toute sa splendeur. Le thé et le fenouil caramélisé n'en demandaient pas autant. »

POUR 4 PERSONNES

Temps de préparation : 25 minutes — Temps de cuisson : 45 minutes

500 ml (2 tasses) de lait 2 %
5 g (1 c. à thé) de thé Earl Grey
4 jaunes d'œufs
60 g (1/4 de tasse) de sucre
des brins de fenouil pour décorer

Fenouil caramélisé
1 bulbe de fenouil
15 ml (1 c. à soupe) d'huile d'olive
90 g (1/3 de tasse) de sucre
5 g (1 c. à thé) de grains d'anis vert

Porter le lait à ébullition. Y verser le thé et laisser infuser 5 minutes.

Dans un bol, fouetter les jaunes d'œufs et le sucre. Incorporer le lait parfumé tout en fouettant quelques minutes. Transférer la crème dans des ramequins ou dans de grandes assiettes creuses. Cuire dans un bain-marie au four pendant 45 minutes à 150° C (300° F).

Sortir du four et laisser refroidir avant de mettre les crèmes au réfrigérateur pour 2 heures.

Préparer le fenouil caramélisé : ôtez les écorces extérieures du fenouil. Couper les tiges en gros cubes. Blanchir dans de l'eau bouillante pendant 2 minutes. Égoutter et refroidir.

Dans une poêle antiadhésive, faire revenir le fenouil avec un filet d'huile d'olive pendant 5 minutes. Ajouter le sucre et les graines d'anis et laisser caraméliser. Réserver.

Dans une assiette, disposer harmonieusement le fenouil caramélisé. Démouler les crèmes au thé et poser sur chacune un peu du fenouil caramélisé. Décorer avec des brins de fenouil.

Conseils :

Si vous n'avez pas de grains d'anis vert, vous pourriez les remplacer par de l'aneth, de l'anis étoilé et, pourquoi pas, de la menthe.

Dans cette recette, j'utilise du thé Earl Grey. Vous pourriez essayer du thé vert, beaucoup plus amer, mais également intéressant avec le goût du fenouil et de l'anis.

Comment s'organiser :

- Trois heures avant, faire la crème renversée et la cuire. Réfrigérer environ deux heures.
- Trente minutes avant, cuire et caraméliser le fenouil.
- Au dernier moment, dresser et décorer.

Santé

On considère le fenouil apéritif, car il facilite la digestion en limitant la fermentation intestinale. Il est aussi diurétique.

Plusieurs travaux scientifiques tendent à prouver que les flavonoïdes présents dans le thé luttent contre l'oxydation. Le thé vert en est le plus riche. Mais, comme pour le café, il faut éviter de le consommer de façon excessive sous peine de créer de l'excitation et de la dépendance.

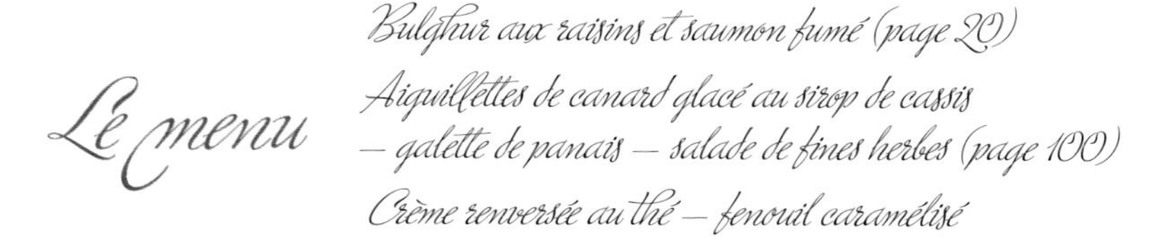

ABRICOTS À L'ESTRAGON ET AUX DATTES

« Je cherchais du raffinement, du caractère, tout en finesse ; un arôme. Alors, j'ai mis du miel avec les abricots et les dattes. L'abeille est étonnante — minutieuse et précise, elle se contente de fleurs : celles de trèfle — colza ou luzerne. Elle passe à l'acacia — pour un nectar transparent et liquide ; à la fleur de bruyère — pour un miel roux, au goût fort. Simplement fascinant. Et, lorsque vous l'additionnez à vos plats ou sur vos rôties, fermez les yeux ! »

POUR 4 PERSONNES

Temps de préparation : 10 minutes
Temps de cuisson : 15 minutes

8 abricots
16 dattes fraîches
15 ml (1 c. à soupe) de miel
5 ml (1 c. à thé) de fleur d'oranger
1 citron (le zeste et le jus)
1 orange (le zeste et le jus)
60 ml (1/4 de tasse) d'huile d'olive
60 ml (1/4 de tasse) d'eau
4 branches d'estragon frais

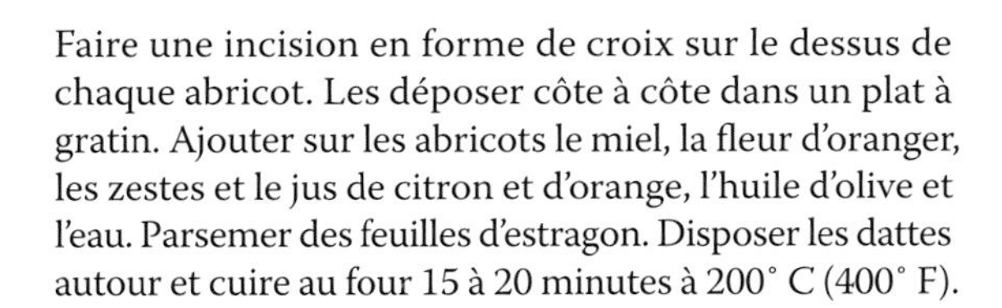
Faire une incision en forme de croix sur le dessus de chaque abricot. Les déposer côte à côte dans un plat à gratin. Ajouter sur les abricots le miel, la fleur d'oranger, les zestes et le jus de citron et d'orange, l'huile d'olive et l'eau. Parsemer des feuilles d'estragon. Disposer les dattes autour et cuire au four 15 à 20 minutes à 200° C (400° F).

La cuisson terminée, récupérer le jus dans une casserole et faire réduire jusqu'à ce que la sauce devienne sirupeuse.

Décorer avec de l'estragon frais. Servir tiède.

Conseils :

Choisissez des dattes molles, brillantes de sucre. Écartez les dattes desséchées, ternes ou fermentées. Conservez-les à l'abri de l'air et du soleil dans un endroit frais et sec. Évitez de les congeler puisqu'elles l'ont généralement été lors du transport.

La saison des abricots est assez courte. Profitez-en car ce fruit est délicat et ne se conserve pas très longtemps.

Comment s'organiser :

- Trente minutes avant, préparer le plat dans un plat à gratin.
- Vingt minutes avant, le mettre au four. Puis, sortir le plat du four et servir chaud.

Santé

Peu énergétique, l'abricot se caractérise par sa teneur très élevée en vitamine A. Riche en potassium, les sportifs l'aiment bien.

La datte est, quant à elle, très énergétique et très nourrissante grâce à son taux élevé en glucides. Elle est également riche en magnésium, en calcium et en phosphore. C'est un fruit recommandé pour les sportifs.

Salade mâche — œuf poché — vinaigrette César (page 150)
Filet de vivaneau rôti — poivron doux — sauce au vin rouge (page 74)
Abricots à l'estragon et aux dattes

FEUILLES AMANDINES
LAIT GLACÉ AU CAFÉ

«Le café du dimanche matin. Encore endormi, les cheveux hirsutes, la tête dans les nuages, je sortais de ma chambre et descendais l'escalier. Le premier, et je crois, le seul sens éveillé, c'était l'odorat. D'abord, l'odeur du café. Ma mère s'en était occupée. Mon père avait apporté la brioche — j'adorais l'attaquer dans son milieu – dans le mou, le chaud. Il y avait aussi l'odeur de la confiture et du pain grillé. Le café du dimanche matin; j'étais trop petit pour en boire. Ce bol « de luxe paradoxal » sera pour plus tard. »

POUR 4 PERSONNES

Temps de préparation : 20 minutes

4 feuilles de pâte filo

30 g (2 c. à soupe) de beurre doux, clarifié

120 g (1/2 tasse) d'amandes, effilées

120 g (1/2 tasse) de marmelade à l'orange

6 à 8 feuilles de menthe, hachée

Lait glacé

500 ml (2 tasses) de lait

60 ml (1/4 de tasse) de café espresso ou extrait de café

5 jaunes d'œufs

90 g (1/3 de tasse) de sucre

Préparer le lait glacé : mélanger le lait et le café dans une casserole. Porter à ébullition. Dans un bol, mélanger les jaunes d'œufs et le sucre ; fouetter jusqu'à ce qu'ils blanchissent et forment un ruban. Verser le lait sur ce mélange. Remettre le tout dans une casserole et faire chauffer à feu doux, en remuant avec une cuillère de bois jusqu'à ce que la crème devienne onctueuse (la température ne devrait pas dépasser 85° C (180° F). Ne faites surtout pas bouillir. Retirer du feu et verser dans un bol. Laisser refroidir et transférer dans une sorbetière afin de faire prendre de la consistance au mélange. Conserver au congélateur.

Préparer les feuilles amandines : superposer deux feuilles de pâte filo. À l'aide d'un pinceau, étendre le beurre fondu. Renouveler l'opération avec deux autres feuilles. Découper douze rectangles de 10 cm X 6 cm (4 po X 2 1/2 po) et déposer sur une plaque à pâtisserie. Y étendre les amandes effilées et cuire au four à 200° C (400° F) jusqu'à l'obtention d'une coloration dorée (environ 5 minutes).

Dresser en plaçant au fond de chaque assiette un rectangle de pâte filo. Y déposer une petite quenelle de lait glacé au café. Renouveler l'opération et terminer avec un rectangle de pâte filo. Parsemer autour d'amandes effilées, grillées et de marmelade à l'orange. Garnir de menthe et servir aussitôt.

Conseils :

Vous pourriez utiliser de la pâte feuilletée au lieu de la pâte filo. Votre dessert sera alors un peu plus riche.

La recette de lait glacé est la recette de base de la crème anglaise. À partir de cette base, on peut ajouter tous les parfums souhaités : du cacao à un alcool, en passant par des infusions d'herbes ou un parfum d'épices.

Comment s'organiser :

- La veille, faire le lait glacé au café.
- Trente minutes avant, préparer les feuilles amandines.
- Au dernier moment, dresser et servir aussitôt.

Santé

Le lait apporte d'excellentes protéines bien équilibrées. Qu'il soit entier, demi-écrémé ou écrémé, il est toujours aussi riche en calcium. L'écrémage enlevé, la partie grasse du lait, c'est la partie aqueuse conservée qui contient alors les protéines et le calcium.

Le lait de vache a ses partisans et ses opposants. Les partisans affirment qu'il est un aliment indispensable parce qu'abondant, peu coûteux et nourrissant. Les opposants soutiennent que ce lait est fait pour nourrir les veaux pour leur croissance et que, dans la nature, les animaux adultes ne se nourrissent pas de lait.

Le menu

L'œuf cassé sur un sauté de champignons (page 37)

Turbot à la julienne de légumes — sauce au persil (page 96)

Feuilles amandines — lait glacé au café

FLAN DE LITCHIS AU SAKÉ ET GINGEMBRE
SAUCE À L'ORANGE

« Tout est dans le style. Ça ne se calcule pas, ni ne se pèse, ni ne se crée. C'est lorsque ça coule, que tout se lie naturellement. Ce ne doit être ni l'abondance, ni le minimalisme abusif, ni une montagne de « bouffe », ni le petit pois farci. Le style, on ne le fait pas; il est là. C'est l'art du juste milieu. C'est la robe qui recouvre le charme. »

POUR 4 PERSONNES

Temps de préparation : 10 minutes — Temps de cuisson : 25 minutes

16 litchis

3 œufs

125 ml (1/2 tasse) de lait

30 g (2 c. à soupe) de sucre

15 ml (1 c. à soupe) de Saké (alcool de riz)

5 g (1 c. à thé) de gingembre frais, haché

quelques feuilles de coriandre pour décorer

Sauce à l'orange

125 ml (1/2 tasse) de jus d'orange

1 orange (le zeste)

30 g (2 c. à soupe) de sucre

Peler et couper en deux les litchis. Les dénoyauter et les couper en dés.

Casser les œufs dans un bol. Ajouter le lait, le sucre, le Saké et le gingembre. Fouetter quelques minutes. Verser le mélange dans des ramequins. Ajouter les dés de litchis et cuire au four, dans un bain-marie, 25 minutes à 180° C (350° F). Sortir du four et laisser refroidir.

Préparer la sauce à l'orange : verser tous les ingrédients dans une casserole. À feu doux, porter à ébullition et laisser frémir 10 minutes. Refroidir et conserver au réfrigérateur.

Au moment de servir, démouler les flans et verser la sauce à l'orange autour. Décorer avec des feuilles de coriandre.

Conseils :

On considère souvent le litchi comme un des meilleurs fruits. À lui seul, il constitue un dessert délicieux. Juteux, rafraîchissant, très sucré et très parfumé sous sa chair translucide, blanc nacré, au goût qui évoque la fraise et le muscat; il rend exotique tout ce qui l'accompagne. On le trouve facilement frais sur nos marchés. Il est aussi savoureux en conserve.

Il est facile de trouver du gingembre frais sur le marché, qui a bien meilleur goût que celui séché ou en conserve. Choisissez un rhizome ferme et non ratatiné, sans moisissure. Évitez de le faire congeler, car il se transformera comme une éponge.

Comment s'organiser :

- Quarante-cinq minutes avant, préparer les flans et les enfourner. Pendant la cuisson, faire la sauce à l'orange.
- Au moment de servir, démouler et dresser.

Santé

Le litchi frais est riche en vitamine C. Il est une bonne source de potassium et de cuivre.

L'orange est reconnue pour sa teneur très élevée en vitamine C. Elle est aussi une bonne source de calcium et de potassium.

Le menu

Soupe de chou-fleur — fenouil et olives au curcuma (page 48)
(page 48)

Rouget en papillote à l'aneth (page 90)

Flan de litchis au Saké et gingembre — sauce à l'orange

FRAISES AU VIN ROUGE ÉPICÉ

« Des épices : girofle, cannelle, poivre. Je vous emmène dans les mers du Sud. Je m'arrête sur une île pour me servir de citron et d'orange. Le vin rouge est mieux de bien se tenir. Le réduire comme il faut pour que son alcool s'envole en vapeur, afin de ne laisser seulement qu'un goût suave. Je reviens à la maison et, sur l'Île (d'Orléans celle-là), il y a des fraises l'été comme l'automne. »

POUR 4 PERSONNES

Temps de préparation : 15 minutes — Temps de cuisson : 5 minutes

500 g (1 lb 2 oz) de fraises fermes

500 ml (2 tasses) de vin rouge (Beaujolais ou Chinon)

90 g (1/3 de tasse) de sucre brun

3 clous de girofle

1 petit bâton de cannelle

quelques grains de poivre

1/2 citron (les zestes)

1/2 orange (les zestes)

des feuilles de menthe pour décorer

Porter le vin à ébullition avec le sucre, les épices et les zestes. Laisser frémir 5 minutes puis refroidir. Lorsque le liquide est refroidi, passer au chinois et réfrigérer.

Laver et équeuter les fraises. Les couper en morceaux et les déposer dans le vin épicé rafraîchi.

Servir dans de beaux verres à pied et décorer avec des feuilles de menthe.

Conseils :

Osez préparer ces fraises avec un vin moelleux comme un Muscat ; elles vous donneront une toute autre saveur.

Si vous décidez de laisser mariner les fraises quelques heures, ce qui n'est pas une mauvaise idée pour obtenir un goût plus prononcé, assurez-vous d'avoir des fraises bien fermes. Trop mûres ou molles, elles s'écraseraient et ce plat manquerait de texture.

N'hésitez pas à servir ces fraises avec un sorbet. Celui au citron ou d'un autre agrume apporterait une touche d'acidité.

Comment s'organiser :

- Une heure avant, préparer le sirop et le laisser refroidir.
- Laisser mariner les fraises un minimum de trente minutes.
- Dresser à la dernière minute.

Santé

Faible en calories, la fraise contient autant de vitamine qu'une orange.
On la dit tonique, dépurative, diurétique et reminéralisante.

Le menu

Nems de concombres à la fraîcheur du jardin (page 38)

Brochettes de pétoncles – coulis d'épinards – linguini à l'encre de calmars (page 64)

Fraises au vin rouge épicé

FRAISES AU VINAIGRE BALSAMIQUE — SORBET DE POIRE AU GINGEMBRE (p. 178)

FRAISES AU VIN ROUGE ÉPICÉ (p. 176)

FRAISES AU VINAIGRE BALSAMIQUE
SORBET DE POIRE AU GINGEMBRE

« Je n'aime pas les provocations inutiles. Mais, un vinaigre balsamique très concentré de la région de Modène, sirupeux, doux, avec une pointe d'acidité, qui se glisse autour d'une fraise juteuse... Et puis, ce qui pourrait sembler une banalité fortuite, mais recèle une dimension importante : les deux tours de moulin à poivre noir. Sublime dites-vous ? »

POUR 4 PERSONNES

Temps de préparation : 20 minutes

Les fraises

454 g (1 lb) de fraises

15 g (1 c. à soupe) de beurre

30 g (2 c. à soupe) de sucre

25 ml (1/8 de tasse) de vinaigre balsamique

60 ml (1/4 de tasse) de jus d'orange

2 tours de moulin à poivre noir

Le sorbet

454 g (1 lb) de poires

30 g (2 c. à soupe) de sucre

1 blanc d'œuf

1/2 citron (le jus)

5 g (1 c. à thé) de gingembre, râpé

Préparer le sorbet : peler, épépiner et couper les poires en morceaux. Étendre sur une plaque et faire congeler.

Dans un mélangeur, déposer les morceaux de poires congelés et tous les autres ingrédients du sorbet. Broyer jusqu'à l'obtention d'une pâte congelée. Conserver au congélateur.

Préparer les fraises : faire fondre le beurre dans une poêle antiadhésive. Y déposer les fraises préalablement équeutées et saupoudrer de sucre. Cuire deux minutes. Ajouter le vinaigre balsamique, le jus d'orange et le poivre noir. Laisser cuire une minute.

À l'aide d'une écumoire, retirer les fraises de la poêle et les déposer dans des assiettes creuses.

Laisser réduire le jus jusqu'à obtenir une épaisseur sirupeuse. Napper les fraises de ce jus et ajouter une quenelle de sorbet de poire. Servir aussitôt.

Conseils :

Soyez prudent dans l'achat du vinaigre balsamique ; ils ne viennent pas tous de Modène et certains sont des falsifications faites de vinaigre de vin additionné de caramel.

Pendant la saison, il y a de ces moments où les fraises atteignent leur apogée; c'est alors que ce dessert atteindra le sien. Ne les lavez pas ; vous allez les « saigner ». Si les fraises sont très sales, lavez-les alors à la dernière minute.

Comment s'organiser :

- Cette recette de sorbet est facile et rapide à faire, cependant, elle comporte une difficulté : elle durcit après une journée.
- Une heure avant, équeuter les fraises et les conserver au réfrigérateur.

Santé

Très riches en vitamine C et pauvres en calories, les fraises peuvent remplacer, pendant l'été, les agrumes que l'on mange tout l'hiver. Leur importante teneur en fibres et leur riche quantité d'eau (89% environ) font des fraises les fruits idéaux en pleine saison.

Le menu

Soupe de carottes à la mangue — huile de sésame *(page 55)*

Pétoncles au Pak-Choy — sauce au thé *(page 86)*

Fraises au vinaigre balsamique — sorbet de poire au gingembre

MANGUE ET CHOCOLAT
SAUCE À L'AVOCAT

« Mélange peu conventionnel que le chocolat et l'avocat. Concentrez-vous sur l'avocat : son goût tendre de noisette et sa texture harmonieuse. Mettez-le en osmose avec la saveur légèrement acidulée et épicée de la mangue. Puis, « lâchez la cavalerie » avec le chocolat. Puissant et amer, cet impétueux — à la limite de la dictature — vous emmènera au ciel. Vous en redemanderez. »

POUR 4 PERSONNES

Temps de préparation : 20 minutes

3/4 d'une mangue
15 g (1 c. à soupe) de sucre
60 g (1/4 de tasse) de chocolat noir

Sauce à l'avocat

1/2 avocat
1/4 d'une mangue
1/2 citron (le jus)
60 ml (1/4 de tasse) de jus d'orange
eau

Préparer la sauce à l'avocat : mettre tous les ingrédients dans un mélangeur et broyer jusqu'à l'obtention d'une sauce. Si elle est un peu trop épaisse, liquéfier avec de l'eau.

Hacher grossièrement le chocolat noir et le faire fondre au bain-marie à feu très doux.

Trancher la mangue en lamelles. Chauffer une poêle antiadhésive et y déposer les lamelles de mangue. Saupoudrer avec le sucre et laisser caraméliser légèrement.

Étendre la sauce à l'avocat dans une assiette. Y déposer les tranches de mangue harmonieusement. Laisser couler un filet de chocolat sur la mangue.

Conseils :

Une mangue est mûre lorsqu'elle est souple au toucher. Elle doit dégager un parfum agréable, capiteux et sucré. Cueillie trop tôt, elle est fibreuse, voire acide et sa saveur est alors quelconque.

Il est préférable de faire fondre le chocolat au bain-marie. Ceci vous permettra de ne pas trop le chauffer, car il ne devra pas dépasser 40° à 45° C (120° F à 125° F) afin de ne pas altérer sa saveur et son lustre. Un moyen efficace pour contrôler la température du chocolat, c'est de s'assurer que vos lèvres puissent en supporter la chaleur.

Remuez le chocolat constamment lorsqu'il commence à fondre.

Comment s'organiser :

- Trente minutes avant, préparer la sauce à l'avocat.
- Quinze minutes avant, commencer à faire fondre le chocolat. Pendant ce temps, trancher et poêler la mangue.
- Au dernier moment, dresser et servir aussitôt.

Santé

La mangue apporte autant de vitamine C qu'une orange. Elle constitue aussi une excellente source de vitamine A, de potassium et de cuivre.

La richesse en glucides et en lipides du chocolat en fait un aliment très énergétique. Le chocolat est un aliment tonique et antianémique, car il contient du fer et de la théobromine — une substance stimulante.

Le menu

Gravelax du moment — sauce à l'aneth (page 22)
Carré d'agneau à l'étouffée de thym — légumes racines (page 104)
Mangue et chocolat — sauce à l'avocat

MILLEFEUILLE DE FRAMBOISES
COMPOTE DE TOMATES ET DE POMMES

« Elles se ramassent une à une, sous les chauds rayons du soleil, lorsque tout va plus doucement, sous le souffle tranquille du vent. Dans ces temps de vacances où la vie est faite de choses simples. Durant l'été, lorsque la vitesse n'existe plus. Elles se posent une à une sur la tarte. Avec des mouvements précautionneux. Où l'amour du geste vous laisse un goût mélancolique. »

POUR 4 PERSONNES

Temps de préparation :10 minutes (coulis) ~ 10 minutes (compote) ~ 10 minutes (fraises)

4 feuilles de pâte filo

15 g (1 c. à soupe) de beurre doux, clarifié

300 g (10 oz) de framboises

sucre à glacer

Coulis de framboises

150 g (2/3 de tasse) de framboises

1/2 citron (le jus)

30 g (2 c. à soupe) de sucre

Compote de tomates et de pommes

240 g (1 tasse) de tomates, pelées, épépinées et coupées en morceaux

1 pomme, pelée, épépinée et coupée en morceaux

1 citron (le jus et le zeste)

30 g (2 c. à soupe) de sucre

Superposer deux feuilles de pâte filo. À l'aide d'un pinceau, y étendre le beurre clarifié. Renouveler l'opération avec deux autre feuilles. Découper douze rectangles d'environ 10 cm X 6 cm (4 po X 2 1/2 po). Déposer sur une plaque à pâtisserie et cuire au four à 200° C (400° F) jusqu'à l'obtention d'une coloration dorée (environ 5 minutes).

Préparer la compote de tomates et de pommes : cuire à feu doux les morceaux de tomates et de pomme avec le sucre, le jus et le zeste de citron. Laisser compoter pendant 30 minutes, puis passer au mélangeur. Réserver au frais.

Préparer le coulis de framboises : broyer les ingrédients au mélangeur. Ajouter un peu d'eau, si le coulis est trop épais.

Disposer un rectangle de pâte filo dans le fond de chaque assiette. Y étendre la compote de tomates et de pommes, puis les framboises fraîches. Renouveler l'opération et terminer par un troisième et dernier rectangle de pâte filo.

Étendre le coulis de framboises autour du millefeuille. Saupoudrer de sucre à glacer.

Conseils :

J'ai voulu remplacer la traditionnelle crème pâtissière sur ce millefeuille par une compote goûteuse et plus « santé », faite avec des tomates et des pommes. On oublie parfois que la tomate est un fruit qui pourrait aussi se marier avec de la poire ou de la mangue.

Comme vous le savez sans doute, il faut protéger la pâte filo ! À l'air libre, elle dessèche rapidement. Si l'opération est longue, prévoir un linge humide pour la recouvrir.

Il est important de faire le montage à la dernière minute. Effectuer cette opération trop longtemps à l'avance, détremperait la pâte filo en raison de la compote ; vous perdriez alors toute la subtilité du millefeuille.

Comment s'organiser :

- Une heure avant, préparer et cuire les feuilles de pâte filo. Pendant ce temps, faire la compote de tomates et de pommes. Puis, le coulis de framboises.
- À la dernière minute, faire le montage et servir aussitôt.

Santé

Pauvre en calories, la framboise est une bonne source de minéraux, tels le calcium, le magnésium et le fer. Bien sûr, elle est riche en vitamine C et est aussi considérée comme une source élevée en fibres.

La framboise est conseillée aux diabétiques pour sa faible teneur en glucides.

Le menu

Soupe rafraîchie de topinambours — sorbet aux herbes (page 57)
Médaillons de lotte en piperade (page 82)
Millefeuille de framboises — compote de tomates et de pommes

PAIN PERDU AUX POMMES
SORBET AU FROMAGE FRAIS

« L'hiver est arrivé. Quand, à regret, la nuit s'enfonce plus tôt, à quoi rêvent réellement l'homme et son amie ? De tranquillité et de quiétude avec une bûche dans l'âtre. Assurément de s'arrêter quelques secondes... pour le bonheur. Il reste du pain rassi dans la huche à pain. Un œuf, du lait, du sirop d'érable, l'odeur du beurre dans la poêle. Le bonheur, c'est souvent quelques secondes volées dans notre univers de bien-être soigneusement cultivé. »

POUR 4 PERSONNES

Temps de préparation : 25 minutes

4 pommes, pelées, épépinées et coupées en quartier

4 tranches de pain ou 4 brioches rassis

15 g (1 c. à soupe) de beurre

45 ml (3 c. à soupe) de sirop d'érable

1 œuf

125 ml (1/2 tasse) de lait

5 g (1 c. à thé) de poudre de cannelle

Sorbet au fromage frais

160 ml (2/3 de tasse) d'eau

90 g (1/3 de tasse) de sucre

1 citron (le zeste et le jus)

240 g (1 tasse) de fromage frais (style faisselle ou Quark)

Préparer le sorbet : porter à ébullition l'eau, le sucre, le zeste et le jus de citron. Laisser refroidir puis additionner le fromage frais. Bien mélanger et verser dans une sorbetière. Conserver au congélateur.

Dans une poêle, faire fondre le beurre. Y jeter les quartiers de pomme et ajouter la moitié du sirop d'érable. Faire colorer et réserver au chaud.

Mélanger l'œuf, le lait et la poudre de cannelle. Y tremper les tranches de pain ou les brioches. Cuire dans une poêle antiadhésive en ajoutant le reste du sirop d'érable. Bien caraméliser.

Déposer la tranche de pain dans une assiette. Ajouter les quartiers de pomme. Former une quenelle avec le sorbet. Servir aussitôt.

Conseils :

Les fromages frais sont lisses, crémeux ou granuleux; généralement de saveur douce ou légèrement acidulée. Leur durée de conservation est plutôt courte, environ une semaine.

Tous les genres de pains, brioches, danoises ou croissants font l'affaire dans une recette de pain perdu. Certains n'apprécient pas la cannelle; essayez alors la vanille ou du citron ou bien du cacao.

Je vous conseille une pomme Cortland ou Spartan pour cette recette.

Comment s'organiser :

- Quelques heures avant, faire le sorbet.
- Vingt minutes avant, préparer et cuire les pommes. Puis, faire le pain perdu.
- Dresser à la dernière minute avec le sorbet.

Santé

Les fromages frais contiennent jusqu'à 80 % d'eau. Ils sont généralement maigres et peu énergétiques. Ils peuvent être gras et énergétiques lorsqu'ils sont fabriqués avec de la crème.

La pomme est peu calorique. Elle est riche en potassium et en fibres.

Le menu

Salade grecque — chips d'ail (page 152)

Escalope de pintade panée aux noix — légumes oubliés et figues fraîches — vinaigrette au vin rouge (page 112)

Pain perdu aux pommes — sorbet au fromage frais

PÊCHES ET BANANES RÔTIES
EN FEUILLE DE BANANIER

« Une légende indienne affirme que la banane est le fruit qu'Eve tendit à Adam. Ceci explique pourquoi, dans ce pays, on l'appelle « fruit du paradis ». Mon éducation judéo-chrétienne m'avait parlé d'une pomme, mais je trouve que la banane est parfaite. Tant qu'à être dans le péché, j'ai pris aussi la pêche. Et, je tenais à les envelopper. La feuille du bananier était là. Le tour était joué. Avec la citronnelle, je vous assure que ce dessert goûte le paradis. Mais, je ne sais pas quel paradis. »

POUR 4 PERSONNES

Temps de préparation : 20 minutes — Temps de cuisson : 20 minutes

2 pêches
2 bananes
2 feuilles de bananier
1 citron (le jus et le zeste)
1 orange (le jus et le zeste)
120 g (1/2 tasse) de confiture de framboises
4 petits bâtons de cannelle
12 feuilles de citronnelle, coupées en julienne
2 tours de moulin à poivre noir

Peler, couper en deux et dénoyauter les pêches. Peler les bananes et les couper en tronçon.

Étaler les feuilles de bananier. Y déposer au centre les rondelles de banane, puis la demi-pêche. Ajouter les zestes et le jus de citron et d'orange, la confiture de framboises, la cannelle, la citronnelle et le poivre.

Replier la feuille de bananier de façon à former un paquet et l'attacher avec de petits bâtons de bois ou avec une ficelle. Cuire au four à 200° C (400° F) pendant 20 minutes.

Ouvrir les feuilles de bananier et servir chaud.

Conseils :

On peut trouver les feuilles de bananier dans les épiceries asiatiques. Si les feuilles de bananier sont très épaisses et dures, les passer soit à la vapeur, dans l'eau bouillante ou, plus facile encore, au micro-ondes. Ceci, afin de les ramollir.

Simple et exotique, cette recette pourrait être réalisée avec d'autres fruits comme des poires, des abricots, des cerises.

La citronnelle, aussi connue sous le nom de « Mélisse » ou « Baume de Mélisse », vous donnera cette saveur unique à cette plante aromatique.

Comment s'organiser :

- Quarante minutes avant, préparer les feuilles de bananier garnies.
- Vingt minutes avant, enfourner et servir à la sortie du four.

Santé

La pêche est une bonne source de vitamine C, de vitamine A et de potassium. Elle se digère facilement. Grâce à son acidité, la pêche a des vertus apéritives et un effet tonique sur l'organisme.

Le menu

Haricots cocos en soupe — poivrons rouges confits et pleurotes (page 44)
Ris de veau glacé au sirop d'érable — fenouil au curcuma et petites tomates (page 128)
Pêches et bananes rôties en feuille de bananier

POMMES AU FOUR, MIEL ET NOIX

« L'automne. L'abondance des produits sur le marché. Quelle chance pour nos menus! Mais aussi, les couleurs et, plus encore, l'odeur. L'odeur de la terre mouillée, ce souvenir d'enfance quand on allait aux pommes. J'aimais aller aux pommes; la récolte allait plus vite que celle des fraises. Ça me laissait le temps de flâner, de courir sur le bord des cours d'eau, de jouer à cache-cache avec les amis. Nostalgie... »

POUR 4 PERSONNES

Temps de préparation : 15 minutes — Temps de cuisson : 30 minutes

4 grosses pommes à cuire
15 g (1 c. à soupe) d'amandes effilées
15 g (1 c. à soupe) de noix
15 g (1 c. à soupe) de raisins secs
60 g (1/4 de tasse) de chapelure
60 ml (1/4 de tasse) de miel
1 œuf
sucre à glacer pour décorer
250 ml (1 tasse) de fromage frais à faible % en gras
15 ml (1 c. à soupe) d'eau de fleur d'oranger
6 feuilles de menthe, émincées

Couper légèrement la base des pommes afin qu'elles restent stables. Évider chacune des pommes de leur cœur et enlever les pépins. Les placer dans un plat à gratin.

Concasser les amandes et les noix. Les utiliser pour remplir les cavités des pommes en les mélangeant avec les raisins secs.

Mélanger la chapelure, le miel et l'œuf. Répartir ce mélange sur les pommes. Enfourner durant 30 minutes à 190° C (375° F).

Mélanger le fromage frais avec l'eau de fleur d'oranger. Verser une cuillère de ce mélange dans chaque assiette. Parsemer de menthe. Déposer la pomme chaude.

Servir chaud en parsemant de sucre à glacer.

Conseils :

J'aime utiliser de grosses pommes Cortland, Spartan ou McIntosh. Ni trop acides, ni trop sucrées. J'y ajoute aussi du jus de citron, parfois simplement pour le goût.

Vous pourriez servir un sorbet avec ces pommes. Je pense ici à un sorbet aux fraises ou aux framboises.

Comment s'organiser :

- Trente minutes avant, préparer les pommes et le mélange et enfourner.
- Dix minutes avant, préparer le mélange de fromage et de fleur d'oranger
- Pour servir, poser le plat au milieu de la table.

Santé

À volume égal, le miel renferme plus de calories que le sucre; tandis qu'à poids égal, il en contient moins. Le miel n'est pas très riche en vitamines et en minéraux. L'avantage qu'il détient sur le sucre est son pouvoir sucrant plus élevé; on en consomme donc en moins grande quantité.

Le menu

Soupe de carottes à la mangue – huile de sésame (page 55)
Cailles de l'Île – sauce au cassis – tomates à l'épeautre mentholé (page 102)
Pommes au four, miel et noix

PRUNES AUX PISTILS DE SAFRAN
SOUS CROÛTE DORÉE

« Les prunes : elles peuvent être bleues, noirâtres, rouges – jaunes, pourpres ou verdâtres. Elles peuvent être sucrées, acidulées ou âpres. Peu importe la variété ; si vous les séquestrez dans un bol avec une épice de grande classe, que vous recouvrez le tout d'une pâte et que vous les laissez s'exprimer, compoter, bien au chaud. Alors là ! »

POUR 4 PERSONNES

Temps de préparation : 10 minutes — Temps de cuisson : 20 minutes

1 kg (2,2 lb) de prunes (Mirabelles ou Reine-Claude)

250 ml (1 tasse) de jus de pamplemousse

1 citron (le jus et le zeste)

60 ml (1/4 de tasse) de sirop d'érable

16 pistils de safran

2 tours de moulin à poivre

4 petits bâtons de cannelle

120 g (4 oz) de pâte feuilletée

1 jaune d'œuf pour la dorure

Laver et dénoyauter les prunes. Si elles sont trop grosses, les couper en quartier.

Dans une casserole, porter à ébullition le jus de pamplemousse. Ajouter les prunes, le zeste et le jus de citron, le sirop d'érable, les deux tours de moulin à poivre et les pistils de safran. Retirer du feu et laisser refroidir.

Répartir les prunes et le jus dans de petites soupières individuelles. Ajouter le petit bâton de cannelle. Étaler la pâte feuilletée et découper quatre disques d'un diamètre supérieur à 2,5 cm (1 po) à celui de la soupière.

Pour la dorure : mélanger un peu d'eau avec le jaune d'œuf. À l'aide d'un pinceau, badigeonner le bord de la soupière et y poser le disque de pâte. Appuyer sur les bords pour bien fermer. Badigeonner ensuite le dessus du disque de pâte pour bien dorer. Mettre au four à 180° C (350° F) pendant 20 minutes. Servir chaud.

Conseils :

Vous pouvez acheter une pâte feuilletée fraîche, soit chez votre pâtissier ou bien dans votre épicerie ; certaines marques congelées sont acceptables.

Gardez-vous bien de ne pas trop mettre de safran dans chaque soupière. Sa puissance risquerait de mettre en veilleuse les autres parfums.

Vous trouverez, dans les commerces vendant de la faïence, ce genre de petites soupières individuelles appelées aussi « tête de lion ». qui feront parfaitement l'affaire pour ce genre de dessert.

Comment s'organiser :

- Quarante-cinq minutes avant, faire le jus et le laisser refroidir. Puis, préparer les prunes.
- Vingt-cinq minutes avant, répartir les prunes et le jus, poser la pâte feuilletée et cuire.
- Servir aussitôt.

Santé

Bonne source de potassium et de vitamine C, on dit de la prune qu'elle a des propriétés laxatives. Elle contient aussi du fer.

Le menu

Brochettes de moules au couscous — coulis de tomates (page 16)

Carré d'agneau à l'étouffée de thym — légumes racines (page 104)

Prunes aux pistils de safran sous croûte dorée

SABAYON DE FIGUES AUX PISTACHES
ET VIN DE GLACE

« Les jours d'automne s'écoulaient doucement à l'ombre du figuier qui bordait le mur du jardin. Près de la tonnelle où il poussait — il avait bien donné — l'été avait été bon. J'y avais passé de longues heures, blotti entre deux branches à déguster les fruits juteux. Du haut de mon perchoir, je rayonnais au-dessus des murets des autres jardins. Puis, je sursautais à l'appel de ma mère; elle savait où j'allais rêver. »

POUR 4 PERSONNES

Temps de préparation : 15 minutes — Temps de cuisson du sabayon : 5 minutes

8 figues fraîches
60 ml (1/4 de tasse) de jus d'orange
30 g (2 c. à soupe) de sucre
1 orange (le zeste)
32 pistaches mondées

Sabayon
2 jaunes d'œufs
60 g (1/4 de tasse) de sucre
60 ml (1/4 de tasse) de vin de glace

Couper les figues en quatre.

Dans une poêle, porter à ébullition le jus d'orange avec le sucre et les zestes d'orange. Ajouter les figues et laisser frémir quelques minutes. Répartir les figues et leur jus dans chaque assiette. Parsemer de pistaches.

Préparer le sabayon : mettre les jaunes d'œufs dans un bol en acier inoxydable. Ajouter le sucre et le vin de glace. À l'aide d'un fouet, commencer à faire mousser le mélange. Puis, sur un bain-marie, continuer à fouetter énergiquement de manière à ce que le mélange épaississe et atteigne une consistance crémeuse. Retirer du feu et répartir le sabayon sur les figues.

Faire colorer sous le gril du four ou à l'aide d'un chalumeau.

Conseils :

Le vin de glace peut être remplacé par un Muscat, un Sauternes — Monbazillac.

Il faut un bon poignet pour monter un sabayon, mais ce qu'il faut avant tout, c'est un bol en acier inoxydable (cul-de-poule) d'une bonne grandeur et surtout un bon fouet. Nos fouets, à la maison, sont souvent trop petits.

Il est important de fouetter un peu votre sabayon hors du feu avant de le mettre au-dessus du bain-marie. Aussi, le bol ne doit pas toucher à l'eau du bain-marie.

La figue fraîche et mûre a une chair molle au toucher et une queue ferme.

Procurez-vous des pistaches écalées, vendues dans des pots hermétiques ou sous vide. Ceci vous assurera un maximum de fraîcheur.

Comment s'organiser :

- Trente minutes avant, cuire les figues et les séparer dans les assiettes.
- Au dernier moment, monter le sabayon, colorer et servir aussitôt.

Santé

La figue est un fruit riche en fibres et en potassium. Elle est très nutritive et possède des qualités laxatives. C'est l'un des fruits les plus sucrés.

Le menu

Carpaccio de légumes à l'estragon (page 25)
Carré de porc rôti — jus au café
— salade de topinambours — oignons au four (page 106)
Sabayon de figues aux pistaches et vin de glace

SOUPE D'AGRUMES AU VIN DOUX ET VANILLE — PURÉE DE MANGUE (p. 192)

SABAYON DE FIGUES AUX PISTACHES ET VIN DE GLACE (p. 190)

SOUPE D'AGRUMES AU VIN DOUX ET VANILLE
PURÉE DE MANGUE

« Un petit vin doux ? C'était la question que cette vieille tante nous posait lorsque la famille la visitait à chaque jour de l'An. Elle ouvrait la porte, en bas, à gauche du grand et vieux buffet en bois massif. Seulement deux ou trois bouteilles s'y trouvaient. Le vin doux — pour cette tante – se résumait à un alcool sucré, pas très alcoolisé. J'avais l'autorisation d'y tremper mes lèvres dans le verre de mon père.°»

POUR 4 PERSONNES

Temps de préparation : 20 minutes — Temps de cuisson : 10 minutes

4 oranges

2 pamplemousses (roses si disponibles)

2 mandarines ou clémentines

1 citron (le zeste et le jus)

375 ml (1 1/2 tasse) de vin doux (soit liquoreux tels le Sauternes ou le Coteaux du Layon ou un Muscat comme le Beaume de Venise)

60 g (1/4 de tasse) de sucre

1 gousse de vanille

Purée de mangue

1 mangue

1/2 citron (le jus)

Peler à vif les oranges et les pamplemousses et prélever les sections. Faire de même pour les mandarines.

Amener doucement le vin à ébullition avec le sucre et la gousse de vanille fendue en deux. Laisser frémir 10 minutes. Retirer du feu et laisser infuser.

Plonger les agrumes dans le vin et laisser refroidir au réfrigérateur.

Préparer la purée de mangue : peler la mangue et déposer la chair dans un bol. À l'aide d'un pied mélangeur, transformer la chair en purée puis ajouter le jus de citron.

Dresser dans le fond de chaque assiette une cuillère de purée de mangue. Déposer ensuite harmonieusement les agrumes. Ajouter le jus du vin doux et décorer avec une partie de la gousse de vanille.

Conseils :

Conservez votre gousse de vanille pour une deuxième utilisation, soit une crème de vanille ou une macération. Protégez-la dans son tube d'origine ou enveloppez-la dans une pellicule plastique afin de conserver ses arômes et pour qu'elle ne sèche pas.

Vous pourriez changer la purée de mangue pour une purée de papaye ; ce serait tout aussi délicieux.

Comment s'organiser :

- Une heure avant, faire le sirop. Pendant la cuisson et l'infusion, préparer les fruits. Les laisser macérer dans le sirop et garder au frais.
- Quinze minutes avant, faire la purée de mangue.
- Dresser à la dernière minute.

Santé

Tous ces agrumes sont une très bonne source de vitamine C ainsi que de potassium.

La mangue apporte autant de vitamine C qu'une orange. Elle constitue aussi une excellente source de vitamine A, de potassium et de cuivre.

Le menu

Raviole de scampis — sauce aux poivrons (page 32)

Longe de chevreuil à l'infusion d'herbes — garniture comme grand-mère (page 122)

Soupe d'agrumes au vin doux et vanille — purée de mangue

RISOTTO AU LAIT ET À LA PAPAYE
TOMBÉE DE FRUITS SECS

« Le temps de l'enfance : images d'insouciance des desserts d'antan. Le riz au lait et ses essences de vanille. Quand le croquant des fruits secs et des noix vient trancher sur le moelleux de la papaye fondue dans les grains de riz. Doux souvenir de ce riz au lait. Sensation de bien-être de ce dessert se mêlant à la voix de ma mère. »

POUR 4 PERSONNES

Temps de préparation : 15 minutes — Temps de cuisson : 30 minutes

625 ml (2 1/2 tasses) de lait

120 g (1/2 tasse) de riz pour risotto

1 papaye

30 ml (2 c. à soupe) d'eau

90 g (1/3 de tasse) de sucre

2 jaunes d'œufs

Tombée de fruits secs

15 g (1 c. à soupe) de noix, hachées grossièrement

15 g (1 c. à soupe) de pignons

15 g (1 c. à soupe) de pistaches

3 figues séchées, coupées en dés

quelques gouttes de Grand Marnier

Faire bouillir le lait avec le riz non rincé. Remuer sans cesse jusqu'au frémissement du lait. Continuer la cuisson à feu doux, toujours en remuant. La cuisson terminée, le riz doit avoir une texture crémeuse. Mettre le riz dans un saladier et laisser tiédir.

Peler, vider et couper la papaye en petits cubes. Conserver quelques lamelles pour la décoration.

Dans une casserole, faire fondre le sucre dans un peu d'eau ; laisser bouillir quelques minutes afin d'obtenir un sirop. Ajouter les morceaux de papaye et laisser confire à feu très doux une dizaine de minutes, tout en veillant à ce que le sirop ne caramélise pas.

Incorporer les morceaux de papaye et les jaunes d'œufs au riz tiédi. Dans la même casserole, ajouter les noix, les noix de pin, les pistaches et les figues séchées. Chauffer légèrement et ajouter quelques gouttes de Grand Marnier.

Dresser en confectionnant deux belles quenelles ou en plaçant le riz à la papaye dans un cylindre. Disposer la tombée de fruits secs autour. Décorer avec les lamelles de papaye.

Conseils :

Avec les figues séchées, vous pourriez ajouter d'autres fruits secs, tels des abricots, des pommes, des papayes ou des bananes. Dans le cas des noix, la polyvalence pourrait aussi être de mise. Essayez les noisettes, les amandes ou les pacanes.

Le riz italien, Arborio, est sans doute l'un des meilleurs pour le riz au lait, car il se comporte très bien à la cuisson et vous amène à cette texture crémeuse tant recherchée.

Comment s'organiser :

- Une heure avant, cuire le riz. Après la cuisson, préparer la papaye tout en gardant le riz à l'œil. Puis, faire le sirop et mélanger la papaye au riz.
- Quinze minutes avant, faire sauter les fruits et les noix séchées.
- Au dernier moment, dresser et décorer.

Santé

La papaye est une excellente source de vitamine C. Elle a aussi une bonne teneur en vitamine A et en potassium. En Amérique du Sud, on prépare un sirop sédatif avec le jus de papaye.

Les fruits séchés sont hautement énergétiques. L'énergie qu'ils fournissent est immédiatement disponible, car leurs glucides se métabolisent rapidement.

Cuisses de grenouille et Golden écrasées au citron (page 19)
Enroulé de tilapia aux courgettes farci à la tomate séchée (page 81)
Risotto au lait et à la papaye — tombée de fruits secs

SOUPE GLACÉE DE CHOCOLAT AMER
ŒUF À LA NEIGE MENTHOLÉE

«Déjà à un an, elle avait les deux mains dedans. Ça lui faisait de belles moustaches lorsqu'elle décidait de le mélanger avec du lait. J'avais un gros bec, quand, les mains derrière le dos, je lui demandais quelle main elle désirait. Elle savait qu'il y avait du chocolat dans chacune d'elle. Depuis toujours, derrière son sourire et ses cheveux blonds, le chocolat et Catherine s'adorent.»

POUR 4 PERSONNES

Temps de préparation : 15 minutes

Soupe glacée

500 ml (2 tasses) d'eau

30 g (2 c. à soupe) de sucre

125 ml (1/2 tasse) de café espresso ou de café très corsé

15 g (1 c. à soupe) de cacao amer

Menthe cristallisée

16 feuilles de menthe

1 blanc d'œuf

15 g (1 c. à soupe) de sucre

Œuf à la neige

2 blancs d'œufs

30 g (2 c. à soupe) de sucre

5 g (1 c. à thé) de menthe, hachée

Préparer la soupe glacée : mettre tous les ingrédients dans une casserole et porter à ébullition. Refroidir et conserver au réfrigérateur.

Préparer la menthe cristallisée : tremper les feuilles de menthe dans le blanc d'œuf, puis dans le sucre. Disposer sur une quille (la partie arrondie d'une bouteille) et laisser sécher.

Préparer les œufs à la neige : monter les blancs d'œufs en neige et ajouter le sucre et la menthe hachée. À l'aide d'une cuillère à crème glacée, former quatre boules. Cuire au four à micro-ondes de 15 à 30 secondes, selon la puissance de l'appareil. Laisser refroidir.

Dans une assiette creuse, verser la soupe glacée de chocolat amer. Y déposer une boule de blanc d'œuf. Saupoudrer de cacao et décorer avec la menthe cristallisée.

Conseils :

Pour la soupe, vous pourriez remplacer l'eau par du lait.

Rares sont les fois où je vais vous parler de micro-ondes dans les cuissons. Bien sûr, vous pourriez pocher les blancs d'œufs montés dans un lait frémissant, à la manière d'une île flottante. Mais, dans ce cas-ci, quelques expériences m'ont permis d'atteindre un excellent et rapide résultat avec le micro-ondes. Cependant, soyez alerte, car quelques secondes de trop vous donneront un résultat caoutchouteux et carrément mauvais.

Comment s'organiser :

- Quelques heures avant, cristalliser les feuilles de menthe.
- Une heure avant, faire la soupe glacée de chocolat amer et garder au frais. Puis, préparer les œufs à la neige mentholée.
- Dresser à la dernière minute.

Santé

On dit du chocolat qu'il est l'aliment par excellence de la bonne humeur. Outre sa richesse en magnésium, sa forte teneur en glucides et en lipides en fait un aliment très énergétique.

Le blanc d'œuf fournit un peu plus de la moitié des protéines de l'œuf, ainsi que la plus grande partie du potassium. Alors que le jaune d'œuf, lui, contient les vitamines A et D, la plupart des autres vitamines et minéraux, les trois quarts des calories ainsi que la totalité des matières grasses.

Le menu

Fromage de chèvre frais au canard fumé (page 144)

Gambas et légumes grillés — sauce provençale (page 76)

Soupe glacée au chocolat amer — œuf à la neige mentholée

STRUDEL DE RAISINS ET KIWIS AU BASILIC

« Le strudel se sert avec beaucoup de délicatesse et de précaution. Quand, dans le four, il atteint une belle couleur dorée, il est temps de le servir, car il est bien meilleur chaud. Il est aussi très important d'utiliser un couteau-scie et, dans un mouvement aller-retour, de couper le strudel sans l'écraser. Le croustillant de la pâte filo est si fragile, léger comme l'air, cassant comme du verre. « Voilà, le beau morceau de strudel. Pour moi, je prendrais l'extrémité; c'est bien meilleur. »

POUR 4 PERSONNES

Temps de préparation : 20 minutes — Temps de cuisson : 20 minutes — Temps de macération : 2 heures

454 g (1 lb) de raisins rouges et verts, lavés et coupés en deux

3 kiwis, pelés et coupés en cubes

30 g (2 c. à soupe) de sucre

5 g (1 c. à thé) de basilic frais, haché

30 g (2 c. à soupe) de noix, concassées

1/2 citron (le zeste et le jus)

4 feuilles de pâte filo

30 g (2 c. à soupe) de beurre doux, clarifié

quelques feuilles de basilic pour décorer

sucre à glacer pour décorer

Dans un bol, mélanger les raisins et les kiwis avec le sucre, le basilic, les noix, le zeste et le jus de citron. Laisser macérer deux heures au réfrigérateur.

Étendre deux feuilles de pâte filo et, à l'aide d'un pinceau, les badigeonner avec le beurre clarifié. Répéter l'opération.

Étaler le mélange de fruits au milieu de la pâte filo et enrouler de manière à former un rouleau serré. Fermer les extrémités du strudel en pliant l'excédent de pâte sur le dessus. Badigeonner la surface du strudel avec le restant de beurre.

Placer les strudels sur une plaque à pâtisserie et enfourner à 180° C (350° F) pendant 20 à 25 minutes. Le strudel doit alors être doré et croustillant.

Décorer avec des feuilles de basilic. Servir tiède en saupoudrant de sucre à glacer.

Conseils :

Vous pouvez faire des strudels avec la majorité des fruits. Mariez-les selon leurs goûts et leurs textures : pommes et poires, mangues et fraises, figues et framboises.

Comment s'organiser :

- Trois heures avant, préparer les fruits et les faire macérer.
- Trente minutes avant, former les strudels et les enfourner.
- Dresser les strudels tièdes et décorer.

Santé

Le raisin est une bonne source de potassium et de vitamine C. C'est un fruit très sucré, qui contient des tanins que l'on dit bénéfiques pour le système cardio-vasculaire.

Le kiwi est le fruit le plus riche en vitamine C. À poids égal, le kiwi contient près du double de cette vitamine comparativement à l'orange ou au citron. Le kiwi est aussi une importante source de minéraux.

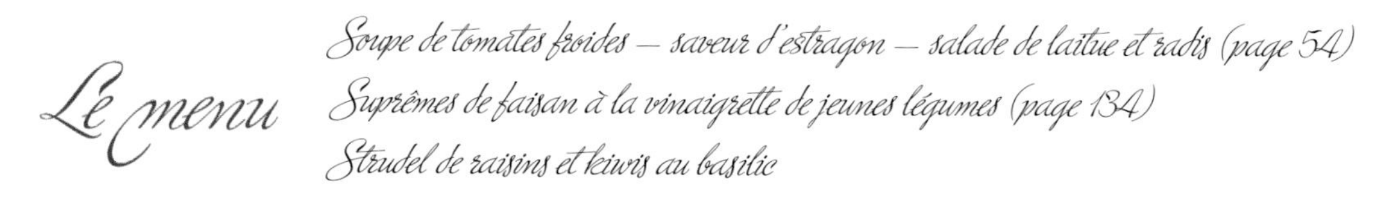

TARTARE DE PAPAYE AUX GRAINES D'ANIS
COULIS DE MÛRES

« La rivière de l'enfance continue de couler dans ma mémoire. Je n'étais pas plus haut que trois pommes. Dans le creux des fossés, au pied des vieux murets, sur la pointe des pieds et les bras tendus, je ramassais les mûres. Je les choisissais noires et molles et elles se consommaient à mesure. Leurs épines égratignaient mes bras d'enfants. Et, quand la gourmandise me faisait mal au ventre, aucun regret ne m'envahissait. »

POUR 4 PERSONNES

Temps de préparation : 20 minutes

1 papaye

15 ml (1 c. à soupe) de vin blanc sec

30 ml (2 c. à soupe) d'eau

30 g (2 c. à soupe) de sucre

1 orange (le zeste)

1 citron (le zeste)

10 graines d'anis

quelques branches d'aneth pour décorer

Coulis de mûres

150 g (2/3 de tasse) de mûres

30 g (2 c. à soupe) de sucre

1/2 citron (le jus)

30 ml (2 c. à soupe) d'eau

Dans une casserole, verser le vin blanc, l'eau, le sucre, les zestes de l'orange et du citron et les graines d'anis. Chauffer jusqu'à obtenir un sirop épais. Laisser refroidir.

Peler et couper la papaye en petits dés. Mélanger avec le sirop et placer au réfrigérateur.

Préparer le coulis de mûres : trier et équeuter les mûres, au besoin. Les broyer au mélangeur à grande vitesse pendant une minute avec le sucre et le jus de citron. Si le coulis semble un peu trop épais, ajouter un peu d'eau.

Dresser le tartare de papaye en le moulant dans une forme arrondie au milieu d'une assiette. Verser le coulis de mûres autour. Décorer avec des branches d'aneth.

Conseils :

La papaye a une saveur douce, plus ou moins sucrée et parfumée selon les espèces. Elle peut parfois nous faire penser à certains melons. Pour ce genre de recette, choisissez-la bien mûre.

Vous pouvez aussi trouver sur le marché de la papaye verte que l'on utilise plus souvent comme la courge d'hiver ; on peut alors la transformer en salade avec une vinaigrette, la farcir ou même en faire une ratatouille avec d'autres légumes.

Une certaine confusion entoure l'anis, du fait que plusieurs plantes à divers niveaux ont une saveur semblable. Par exemple, le fenouil appelé anis doux, l'aneth appelé l'anis bâtard, le carvi que l'on confond avec les deux premiers ou encore le cumin nommé faux anis. L'anis véritable provient d'une espèce nommé anis vert.

Saviez-vous qu'au Moyen-Âge, l'anis était utilisé comme drogue et comme aphrodisiaque?

Comment s'organiser :

- Une heure avant, préparer le sirop et la papaye et mettre au réfrigérateur. Puis, faire le coulis de mûres.
- Au dernier moment, dresser.

Santé

La papaye est une excellente source de vitamines A et C. Elle a aussi une bonne teneur en potassium.

La mûre est également une bonne source de vitamine C et de potassium. On la dit astringente, dépurative et laxative.

Le menu

Velouté de lentilles froid mentholé aux escargots (page 59)

Poulet farci aux herbes – sauce au safran –
tomates et courgettes comme un gratin (page 126)

Tartare de papaye aux graines d'anis – coulis de mûres

Les entrées

Les soupes et potages

Chauds :

Froids :

Les poissons et crustacés

Les viandes, volailles et abats

Les légumes et accompagnements

Les légumes et accompagnements (suite)

Les salades

Les desserts

Les sauces et vinaigrettes

Les recettes de base